国家出版基金项目
NATIONAL PUBLICATION FOUNDATION

《三联经典文库》

第二辑

2012 年国家出版基金项目

三联经典文库

121

日本的间谍

范士白 自述　尊闻 译

生活·讀書·新知 三联书店

图书在版编目(CIP)数据

日本的间谍 / 范士白自述；尊闻译. -- 北京：生活·读书·新知三联书店，2014.1
（三联经典文库第二辑）
ISBN 978-7-108-04755-7

Ⅰ.①日… Ⅱ.①范… ②尊… Ⅲ.①纪实文学－意大利－现代 Ⅳ.①I546.55

中国版本图书馆CIP数据核字(2013)第261824号

121 日本的间谍

责任编辑 卢 莹
封扉设计 蔡立国
责任印制 李思佳
出版发行 生活·讀書·新知 三联书店
(北京市东城区美术馆东街22号)
邮 编 100010
经 销 新华书店
印 刷 北京市松源印刷有限公司
版 次 2014年1月北京第1版 2014年1月北京第1次印刷
开 本 787毫米×1092毫米 1/32 印张 10.25
字 数 143千字
定 价 38.00元

《三联经典文库》出版缘起

适逢生活·读书·新知三联书店八十华诞，为弘扬传统，接续文脉，回报读者，服务社会，我们决定策划出版《三联经典文库》。

1932 年 7 月，生活书店在上海创办，此后，读书出版社和新知书店相继成立。本文库第一辑、第二辑所选图书，来自于这三家出版单位及其分支机构，以及 1948 年生活·读书·新知三联书店成立后的出版物，始于 1932 年，截至 1951 年，两辑各一百种。此为第二辑，涉及政治、经济、社会、军事、思想文化诸领域，涵盖专著、文集、散文、小说、诗歌、传记、报道等体裁，既有直面现实、追求真理、讴歌真善美、抨击假恶丑的原创作品，又有引介世界各国先进文化、传播新知、开启民智的迻译之作，真实记录了那一代知识分子的思考与探索、理想与愿景和对中华民族文化传承与创新所做出的努力与贡献。

本文库所辑入各书，多为名家名作，在版本方面，以初版一印本或经著译编者审定、修订、增订过的版本为首选，因此本文库又具有较为珍贵的版本价值和收藏价值。

本文库还将编选续辑，使之成为恢弘文化工程。诚挚希望读者给予批评和指正，帮助我们完善编选工作，再现三联经典作品之风采。殊为遗憾的是，由于年代久远，一些原著译编者及其后人未能取得联系并奉付稿酬，诚盼版权所有者与我们联系。祈愿三联前辈所创造的精神财富能薪火相传，为中华文化的伟大复兴增光添彩。

《三联经典文库》编辑委员会

2013年8月

凡　例

一、本文库为重排本，由繁体字竖排版改为简体字横排版。

一、以忠实于原作、整旧如旧为编辑原则，对当时使用的专有名词、外文译名，以及民国时期的语言和特色予以保留。

一、原书注释如旧，编者所出的注释，均以“编者注”标明，以示与原书注释的区别。

一、对原书残缺或字迹漫漶之处，以□示代。

一、对繁简文本转换时的“如右”、“见左”一类，对应改为“如上（前）”、“见下（后）”。

一、对原书中各种错讹脱衍之处，直接订正，不再以其他符号标示。

一、对数字、标点符号的用法，在不损害原文语义的情况下，做必要的规范。

一、本文库各书均前插原书书影、原书版权页和文库版“本书出版说明”。

一、本书出版说明的撰写，以客观中立为原则，扼要介绍本书的内容、版本流转、著译编者的情况。

本书出版说明

1932年，作者被迫加入日本特务机关后，不得不按照日本人的指令，调查、改组在哈尔滨的白俄团体；在中国东北组织、指挥土匪从事排犹活动；利用土匪骚扰中东铁路的运营和秩序，以此给苏联施加压力；监视国联李顿调查团，并进行绑架、暗杀等活动。本书以奇特的方法叙述了作者本人颇具传奇色彩的这段人生经历。书中所描写的种种暴虐、残酷、恶劣和野蛮，使人们清楚地看到，日本侵略者刺刀下的所谓法律、秩序、繁荣均是无耻的谎言。本书以热烈的愤慨写出憎恶日本侵略者征服中国东北所用的方法，这种憎恶以及同情东北义勇军抗日斗争的情绪，流露于全书的字里行间，充分揭露了日本法西斯主义的暴行。

本书于1939年1月初版，未署出版者（实际上是上海生活书店）。本次出版即以初版为底本。

范士白（1888-1943），又译为万斯白、范士柏、樊思伯等。中国籍意大利人。国际著名间谍。二十二岁时服军役，参加墨西哥革命军，晋升为上尉军衔。1912 年离开墨西哥后作为自由投稿记者，游历了美国、南美、澳洲、越南、蒙古、中国的西藏和俄国的西伯利亚等地。1916 年随协约国联军情报处到俄国贝加尔湖和尼古拉夫斯克等地工作。1920 年 9 月，加入张作霖的特务机关，并受黑龙江督军吴俊升指挥。1924 年，加入中国籍。1928 年皇姑屯事件后，在中国从事各种商业活动以维持生活。1932 年，在日本特务头子土肥原贤二的威迫下，又不得不为日军在哈尔滨的特务机关效力。在长达四年半的时间中，他对日本法西斯主义逐渐产生了不满情绪，同情东北义勇军的抗日斗争，从而引起日本当局的不满。1936 年 9 月初，日本特务机关即将对其逮捕之际，遂亡命上海，由是本书诞生。1937 年 8 月，移居马尼拉。1942 年初，日本占领该地后被逮捕，并于 1943 年遇难。

译者尊闻，不详。

生活·读书·新知三联书店

2013 年 8 月

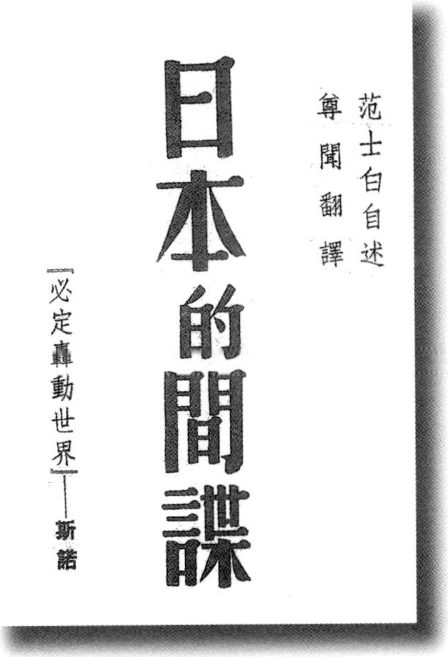

1939年1月初版书影

日本的間諜

每冊實價柒角伍分

原著者 AMLETO VESPA

譯者 尊聞

經售處 各大書店

中華民國二十八年一月初版

原书版权页

目次

序　言　11

第一章

意大利人入中国籍　19

白奴贩卖者　27

张作霖怎样被害　30

第二章

日军占领沈阳　37

第三章

哀哉中国人！　47

我见土肥原　54

第四章

解释日本政策　59

长官训话　68
我的第一次任务　77

第五章

影，这土匪　83
长官发狂　89
我会我的助手们　97

第六章

官办独占卖淫业　105
毒品和堕落　115

第七章

日军害人反害己　123
托尔克马达第二受挫　140

第八章

报应　149

第九章

李顿调查团　161

第十章

嘉奖，和一件小事　177

我所得到的报酬　185

第十一章

我去到游击队的营寨里　193

一个愉快的惊异　199

第十二章

绑票大流行　207

加斯普事件　215

我被监视了　227

第十三章

钱——来得不易去得快　239

钱——即使没有血污也是脏的　253

钱——独占中之独占　259

第十四章

结局将至　271

上海——不安宁的避难所　283

我的妻讲她的故事　290

收场语　299

必定轰动世界

——斯诺

范士白（一九二七年摄）

作者在北京谒见张作霖上将时所摄

Harbin Plot To Kill Agent Fails

Indian Extradited When Attempt Is Made On A. Vespa's Life

HARBIN, Jan. 12.—(Special)—The alleged attempt last month on the life of A. Vespa, general manager and part owner of the Atlantic Theater, a local silent picture house, resulting in the prompt arrest of an alleged Indian accomplice, Burr Singh, and his extradition to the British authorities at Shanghai, still leaves at large an Italian named G. Condoveros, thought to be the prime mover.

The plot was discovered on December 20 and soon afterwards the British Consul applied to the Chinese Police for the extradition of Burr Singh, who had been arrested on a charge of complicity.

According to local speculations, it appears strange and incomprehensible that Condoveros was not likewise arrested but is still at large in Harbin.

Vespa, it will be recalled by the Shanghai press, has been in China a good many years and has been prominently associated with the Mukden Intelligence Service, in which he is credited with valuable work, especially activities against Communists and arms smugglers. It is generally believed here that the alleged plot to murder him might have been motivated by personal enmity arising out of his work for the Mukden Government.

哈尔滨报纸所载谋害作者事件

故张作霖上将

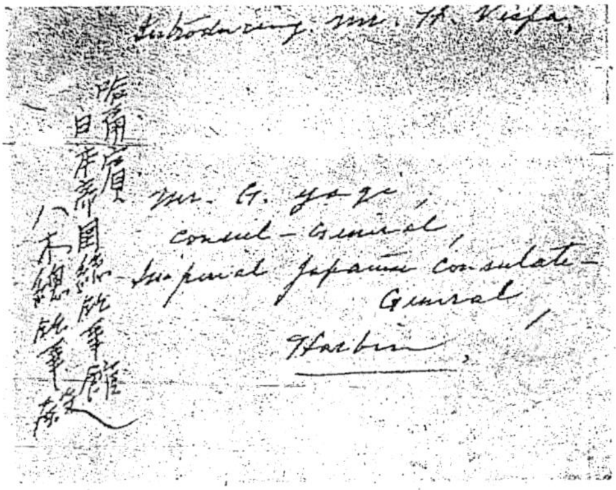
Introducing Mr. H. Vespa,

Mr. G. Yagi,
Consul-General,
Imperial Japanese Consulate-General,
Harbin.

天津日本情报局长田中大佐于一九二九年给范士白的介绍信

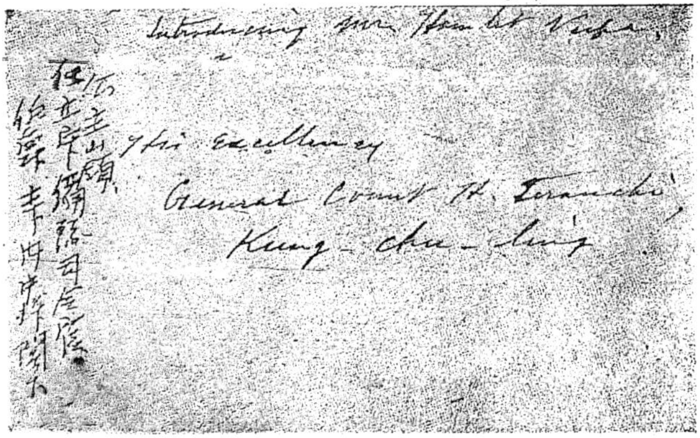
Introducing Mr. Amleto Vespa,

His Excellency
General Count H. Terauchi,
Kung-chu-ling.

天津日本情报局长田中大佐于一九二九年给范士白的介绍信

TO WHOM IT MAY CONCERN.

The bearer of the present is Mr. A. Vespa, an Italian by birth but naturalized chinese since 1924. He is very well knwon by us as a gentleman honest, respectable and straightforward. He has good knowledge of several european languages and for several years he has been correspondent of Italian newspapers, and always an enthousiaste of Japan.

Harbin July 30th 1932.

哈爾濱道裡石頭道街二〇號
東亞鑛業公司
電話九三四五六

哈尔滨日本商会给范士白的证书

一九一一年三月七号在赴俄途中（左列第二人即范士白）

范士白与田中大佐及其夫人（一九二九年摄于天津）

序　言

田伯烈

曾经被邀请给本书写一篇序言，我就冒昧在此简单地说明本书出版的经过情形，以及作者范士白先生的略历吧。

一九三六年秋季我在上海初次认识范士白先生，那时他来看我，说是他的妻由大连搭船来上海会他，在青岛被日本当局扣留，要我帮助他发表这消息。我写了一个字条，介绍他去见当地办报的一位同业，不久之后他就消失在我的见闻以外了。

一九三七年年尾，范士白先生又来见我。他告诉我他作了一本书，叙述他在满洲被日本特务机关雇用的种种经历，并且要我指示他使它出版的方法。我问他为什么要来和我商量这件事，他回答：“因为你知道这些事情，也因为你和日本人打过麻烦[1]，所以我相信你不会拒绝我。倘若日本人知道我写了这本书，他们是要立刻打倒我的。现在这书已经完成，我想设法赶快出版，那么我就可以带着家眷离开上海。”

我答应考虑这件事，但是暗中咋舌，因为我自己就有一本书要出版，我也知道我没有时间来看，我恐怕范士白先生会写出来的那种东西。

一两天之后，他把原稿交给我，我又把它转给一位富有批评精神的新闻同业，请他给我一个坦白的答复。使我吃惊了，我接到一个最热忱的回信，但是我仍然不满足，决定再加以检验。我把事情说明给一位可靠的朋友，他是外国政府的官吏，因此对于鉴定范士白先生的叙述是异常方便的。这位官吏读过原稿而且仔细研究之后，他问我是否能够设法使他和作者会见，以便盘问那些似乎需要说明的处所。会晤的方法布置好了，经过几次长谈之后他相信范士白先生所说的都是实情。

他写信来说：“这里所描写的种种暴虐，大多数是

[1] 一九三七年十二月中，我和日本当局者们发生冲突，因为我反对他们有权检查我寄给《曼哲斯特卫报》的通信。

我经过调查而熟悉了的，但是读着本书才觉得显现为日军统治新征服地人民的方法的特质的残酷、腐败、恶劣、野蛮之深刻，在我这是一种战栗的经验。对于自命为西方文化保卫者的希特勒和莫索里尼，这书是一通辛辣的斥责，我相信，即使是他们吧，倘若他们读了这书，他们也要惊怖于他们所保卫的这一类东西的。

“对于英国的积习甚深的保守派，以及‘他们正在做着的不过是我们曾经做过的’派，这书可以提供一种明白的教训；对于孤立派的和平论者，这书是一副强有力的消毒剂，使他们觉醒日本对于征服地人民所谓法律、秩序、繁荣是怎么一回事。

“这是我所读过的最强有力的公诉状，控诉某一阶级、某一国人，实际也就是控诉‘全部不公道的制度，由于这制度使少数人统治大多数人，使千百万人在黑暗境地中做工以供养少数人的舒服和剥削，而大多数人却不能不生活在污秽和饥饿之中以维持那诡诈的营利方法’。”

因为要征求第三者的意见，我把原稿交给我的朋友斯诺（Edgar Snow），《西行漫记》的作者。他读了之后，把它交还我，附加评语：“据我所知，本书所叙述的事件、人物和情境，都具有各种自明的真确性。它是一种无可疑的有特殊价值的内幕故事。”

然后，我亲自逐字逐句地把原稿读了一遍，以我作《曼哲斯特卫报》和《亚细亚杂志》通信员于一九三三年、三四年和三五年历次旅行满洲所获得的知识为标准，加以审核。我敢相信在大体上范士白先生的出色的故事是必须认为真确的。

关于本书就有这么多的话。读者当然想要知道一些作者早年的背景的吧。

范士白于一八八八年生于意大利的阿格拉（Aquila）。二十二岁的时候，受完教育而且服满兵役，他到墨西哥去加入革命军，在弗兰西科马德拉（Francisco Madera）将军部下作军官。在墨西哥战役中他两次受伤，并且升到上尉阶级。

据范士白先生自述，一九一二年他离开墨西哥，作为一个自由投稿的记者漫游美国、南美、澳大利亚、安南和中国。他在旅行中到过一些辽远的地方，如西藏、蒙古和东部西伯利亚边境等。

在世界大战中，一九一六年间协约国利用了他在中国长途旅行的专门知识，他因此加入情报工作，跟随日本军队进入海滨省及阿穆尔省，一直到贝加尔湖和尼古拉夫斯克[1]。在这几年间范士白先生有异常的机遇会见中日要人，其中之一是张作霖大帅——那时的东三省督办。所以，大战以后，在一九二〇年间，他加入了这位满洲军阀的幕客之列，从此他变为满洲政治后台的一个权威。

然而不久，范士白先生的新关系使他和他的本国的当局冲突起来了，因为意国军火那时正在继续私运入满洲，而他的职务却是制止这种交易，以维持张大帅辖境之内的治安。为情势所迫，他决定改变国籍，变为中国人民，引荐人是中东路督办朱庆澜将军，保证人是北满警察厅长魏永兴将军、中东路警务处长姚志曾将军。这并不是偷偷摸摸的勾当，而是光明正大的合法行为。因此，他保持了行动的独立，以及——同样重要——他的生活方法。不过，纵然改变了国籍，范士白现在还是范士白——一个忠实的法西斯党徒和莫索里尼的热心

[1] 另一译名为“庙街”。

的崇拜者。

一九二八年，张作霖大帅被日本特务人员谋杀了之后，范士白先生忽然又遭遇一次生存斗争，然后从事于各种商业。但是，一九三二年间，这些日本人作了满洲的主宰，同时也就变为范士白先生自己的命运的主宰。他们要挟他来替他们做事，简直以危害他的家属相恐吓。于是范士白先生变为日本特务机关的不情愿的工具，这也就是使本书对于现世界有重大意义的理由。从来没有过，以后或许也不会再有谁处于日本人之下的这种特权地位（宣布其中的真相）。他所说的是值得我们注意的，而他本人也是值得我们感谢的，因为他有勇气发表他的惊人的经历。

使范士白先生得以不受意国官厅干涉的变更国籍，到日本占领满洲的时候，却使他处于日本人宰治之下了。因为他心爱的人们临到生死关头，他不能不忍气吞声，硬起心肠，以至屈服。但是他憎恶日本人征服满洲所用的方法，这种憎恶现在都流露于每一章的字里行间。被钳制在那种机构之内，他的一切努力都是要救出他自己和他的家属，以免遭受了他见过别人因为反叛他的新主人的贪残凶恶太迟而遭受的命运。

范士白先生以他自己的奇特无比的方法叙述他自己的故事，并无美国人所谓“穿凿”（pulling his punches）。这书是一个个人的故事，他以热烈的愤慨写出使他深恶痛绝全体日本人种的那些事件。不过，应该声明，有些地方，譬如对于武藤大将和尾井大佐之类，他以最高赞词叙述了一两个日本官员，因为他们的真纯的性格引起他的敬慕。

至于我自己呢——而且我知道本书的发行者们也有这种同感吧——我相信以日本民族全体而论大多数都是勤苦耐劳的人民，很像中国的、印度的或欧洲的农民。日本人民是不负他们的军阀和财阀的罪责的；分析到最后，他们正和中国人民自己同样是这种恶行的牺牲品。倘若说日本人民似乎帮助着这些暴虐者，那是一半由于他们不懂得正进行着的事的真实意义，一半由于他们的处境迫使他们相信日本的荣誉和横霸是同一意义的。

H. J. T.

伦敦　一九三八年六月廿二号

第一章

意大利人入中国籍

自一九一六年服务于远东特务机关以后这几年间，我熟识了许多中国的文官武将，其中之一是满洲军阀张作霖大帅。有好些机会，他认识了我的工作性质，要我时常报告他在俄国的中国人的实际状况，并且供给他别的有用的情报，而我总是高兴传送给他的。他屡次通知我倘若我决定留住在东方，他是喜欢我替他做事的。他的提议是动人的。我估量了一般情况，大战后欧洲的颓丧情形使我决定接受这邀请，因此，一九二〇年九月二十四号我加入东三省督办张作霖大帅的特务机关。

大帅要求我的第一个条件是不能使任何人知道我是替他做事的，除了黑龙江省长吴俊升而外，因为他是他的最亲密的朋友，要我时常向他请示，而且要我使人相信我是还在我的本国和协约列强指挥之下的。[1]

我很少去谒见沈阳的张大帅，要去的时候必须在夜幕之下，穿着中国服装，戴上黑眼镜，把欧式的呢帽檐遮在眼睛上面，并且由他的一个心腹的副官引导着。

我替张大帅工作了八年，而且这使我欢喜得要说我常常觉得他是一个光荣而且英武的男子。说得到做得到，他是一个忠心服务的人们的好上司；对于犯法背信的人们很严厉，他处置叛徒是毫不容情的。

在俄国、在蒙古、在高丽，和在中国的这些年代，我用各种姓名和各种护照进行我的工作。这全是干这把戏所必需的手段。

我的任务是各式各样的：收集政治情报，监视别国的间谍，缉捕土匪、军火私贩、毒品私贩和白奴贩卖者（这些贩卖者输出过几千逃避革命的俄国年轻女人），以及制止苏俄的和日本的活动。

因为适应环境，有时我必须专心经营各种职业和贸易，例如蒙古金矿或煤矿调查专员、中国政府特派复

[1] 在世界大战期间我被协约军情报处雇用，活动于满洲、蒙古和西伯利亚。

兴俄满商业交通调查团的秘书。凭着这种资格，我于一九一一年三月七号乘了第一次通车游历俄国；一九二二年，我是俄满边界重镇满洲里的一家中俄合办的报馆的编辑；后来又在外蒙古的乌朗巴都（即库伦）做几家报馆的通信员。

一九二三年二月，我奉命调回沈阳，要我调查偷运军火，那时这种私运是具有严重性质的。

最初两个月我逗留在山海关、秦皇岛以及津奉路各地，不久我的努力就得到了收获。三月二号，我初次没收私运的五百支来福枪。这些枪证明全是意大利造的，当他们在离山海关九英里的地方偷过长城的时候，我捉住了他们。三月二十二号，我又捉住了一千支来福枪，而且四月十二号，我的伙伴在北戴河附近没收了二百支意大利造的自动手枪。四月二十七号，在离海岸线较远的地方，我捉住一批带着二千支来福枪的私贩子。这些枪全是运给满洲土匪的，土匪们正在使张大帅的事业增多困难，因为要提高生活水准和繁荣国家必先恢复法律和秩序。

因为我的活动结果使公众和有关列强都知道了，当六月间我到天津的时候，我就接到意大利总领事加布勒里的邀请，要我去见他。

我去了，他问我在天津干些什么事情。我回答我正在一次愉快的旅行之中。

他插嘴道："不要对我说废话，我很知道你在天津干什么，但是我警告你，你固然可以从中国当局方面得到某种有力的证明文件，然而你总还是在我管辖之下的意大利人，倘若你再弄什么麻烦，我就毫不迟疑地拘捕你，遣送回国。明白了吧？我没有别的话讲。"

我毫不吃惊地接受了这恐骇。然而，我必须尽我的职责，并且决定这样忠实地执行，不管犯罪的是什么国籍。

在那一年夏季，我所没收的东西之中有几千支来福枪、手枪等等，还有二百公斤吗啡和海洛因，以及一千五百公斤鸦片。

最后，十一月十四号，得到日本当局的同意和我的中国上司的支持，我去到停在天津的一只日本轮船上，没收了大约四千支意大利造的来福枪。这些枪是要运到广东去的。第二天，我看见当地报纸上登载着意国租界警务署长签名的通告，我好笑了。那通告上说：“在日本轮船上查获而为中国当局所没收之军械虽系意大利制造品，但并非自驻津意国海军兵营仓库运出者。”

十一月十八号上午十点钟，和我最好的一个意大利警官来看我。他显然是很困恼的，他说了这么些话：

“我的亲爱的范士白，现在我负着一种反叛我自己的任务。总领事加布勒里命令我通知你一个立刻执行的驱逐令。在半点钟之内你必须到车站去准备搭十点四十五分的火车到上海。不许你对任何人说话或打电话，不过你可以告诉你的妻你有紧急事体就要到上海去，不要告诉她驱逐你的命令。我有命令，倘若你企图通知任何人，就要你戴上手铐，由军队押解你到车站上。现在我的兵士都在那花园里。我知道我此刻所做的事对于你是很不公道的，但是我必须尽我的职责，我希望你避免公开的侮辱，不要企图拒捕，就算帮忙我吧。倘若承你答应我半点钟之内到车站去，答应我在这时期内非经许可不通知任何人，那么我就带着卫士到车上去等你。”

我除了接受这些条件而外无法可想。我答应了这可怜的人，而且我只告诉我的妻我有要紧事到上海去。半点钟之后我被关在一辆车里面，其中有四个意国水兵和一个名叫罗马诺里的小官。

十一月十九号，我们到了上海，我立刻就被转解到意大利军舰盖拉布里亚的密室里。

幸而舰长是一位诚实的意大利人，他立刻召我到他面前。我把我的困难情形告诉他，他就派一位军官带一封信给意国总领事洛西（de Rossi），声明他不愿假借意大利皇家军舰给任何非正式的使用，除非在当天下午四点钟他接到证明拘留我的正式公文，他就要开释我。到四点零五分的时候，公文还不见来，我离开军舰成为自由人了。

两天以后，意大利副领事费拉觉洛致函法租界和公共租界当局，请求拘捕盖拉布里亚军舰逃兵范士白。

公共租界的英国总巡，一个品性刚直的人，去访问意大利总领事，并且声明：倘若拘捕范士白的命令上贴着的相片真是所要拘捕的人的，那么即刻就可以实行逮捕，因为范士白先生此刻正在总巡署里，但是领事馆必须涂掉“逃兵”字样，因为据他知道范士白先生居留中国已经十五年了。反之，倘若要捕的是水兵，那就必须改换那错误的相片。

中国当局也向意大利公使提出抗议，然而得到的回答是：范士白是意大利人，中国政府并无关心范士白案的理由。

这全部事件变成了当地报纸的通讯材料，而天津意国领事馆拒绝注销驱逐令。因为要把事情弄明白，我和捕房商量之后，我自愿被捕，因此被带去见副领事费拉觉洛。在这些见证之前我质问费拉觉洛我犯了什么罪，他不能回答。他含糊说是一种误会，我被开释了。

几天之后我又被召去见那意国领事，他通知我意大利公使要我离开中国，发给我旅费，上船以后再给五千元。我谢绝了这提议。

一九二四年四月九号，当我经过邓脱路的时候，一个人刺了我胸上一刀就逃走了。中国当局相信行刺的是一个意大利退伍水兵。另一意大利人两次企图谋害我的生命，这人现在还住在上海。他的同谋者，三个俄国人和一个印度人，都已受了严重的处罚。那几个俄国人受了哈尔滨中国法庭的裁判，那印度人受了哈尔滨英国法庭的裁判。

不久之后我回到哈尔滨，不幸我发觉我的本国当局使我难于得到一种正直的生活，于是采取了当时嫌恶而现在悔恨的决定。因为，由于法西斯主义的胜利，意大利的精神和官吏都改变了，以现在而论，这决定是不必要的。

我变成了中国人民，我的保证人是北满大员朱庆澜将军、魏永兴将军和姚志曾将军。作为一个中国人，我就能够毫无阻碍地和一切违法者斗争了。

又有人要谋害我的生命，现在我把事后的报纸剪贴在这里：

哈埠谋杀间谍失败　谋刺范士白之印人被引渡

哈尔滨一月十二号特讯：上月谋刺本市无声电影院大西洋股董兼总经理范士白之嫌疑犯印人巴尔辛一名，业已被捕，移交上海英国当局，但主谋之意人名葛多维洛士者则仍逍遥法外。

此项阴谋发觉于去年十二月二十号，英领

署立即请求中国警厅引渡巴尔辛，因其有同谋嫌疑被捕也。

据一般推测，葛多维洛士并未同时被捕，现仍在哈逍遥法外，殊可异云。

回忆上海报载，范士白曾旅华多年，与沈阳特务处有显要关系，该处对彼深资倚重，因其缉捕共产党员及军火私贩甚为得力故也。

此间众信此种阴谋或因其服务沈阳政府引起私人之仇恨。

白奴贩卖者

做了张作霖的特务员，我回到哈尔滨之后，一切违法之徒、捣乱分子、私贩、白奴贩卖者以及流氓头领全都向我公开宣战，正如我向他们宣战一样。

在布尔雪维克的威胁之下逃到远东的一切俄国难民，其中百分之九十居留在满洲，而这些人的十分之九是穷透了的。像一些肉食的鸟类似的白奴贩卖者降落在沈阳、哈尔滨和别的城市里，来捕捉他们所谓“在饥饿的恐怖中”的年轻貌美的妇女，把她们带到更温暖的国度去。作为秘探和警官，我是常和这种行帮接触的，而其中最有力，最顽强，组织最完备、最富裕的是白俄贵族军官所主持的一帮。我们所捕获的全都由于法官受贿加以释放了。

白奴的真实的国王，和十年以前一样，现在依然是那帝制派的俄国人。因为证据确实他被捕过二十三次，由于缴纳保银他被释放过二十三次，保银有时达到二万元或二万五千元。

情形是这样棘手，以至满洲当局非采取非常手段对付他们，就得置之不理。治外法权是无数外国人干这宗罪孽买卖的护身符。两个瑞典人到哈尔滨一两年之后就成为满洲的恐怖，后来在哈尔滨车站上被我的部下捉住了，那时他们正在护送六个体面的女子到天津去做“太太”。因为知道合法手续的无效，我的部下奉命把他们带到铁道区的边界，勒死在一棵电报柱上。

一九二六年，一个衣冠整肃的法国人包了哈尔滨马狄尔饭店的两个最好的房间，来到不久他就在各种报纸上登出广告，征求年龄在十八至二十二之间的打字员，报酬优厚云云。我叫几个密探监视着他，据报在二十四小时之内差不多有二十多人来请求工作，而且他发给认为合格的各人二十元。我亲自去见这法国人，而且发现他就要离开这饭店了。我告诉他我有两个女儿很想得到适当的职业，在我没有把她们带来见他之前我愿意知道这职业是否高尚和报酬是否合算。那法国人把我打量了一下，问我是否知道他是什么人。他说："我是上海法租界的秘书，我要雇一些打字员到我们的工部局里去工作。"（其实，后来证明他和法租界毫无关系。）

"但是我的女儿不懂法文。"我说。

"这不要紧。上海法租界里有二万多俄国人，所以，在我们的行政上说俄国话的人比说法国话的人更有用。"

"很好。"我说，而且我也把他打量了一下。这正是我要知道的。"这是我的名片。倘若你不搭今晚九点钟的火车离开哈尔滨，那么你也就不要想活下去了。我不必提醒你过去有许多白奴贩卖者毫无踪迹地不见了。"

那法国人当晚就走了……并不曾带去任何打字员。

日本人才一占领满洲，我和白奴贩卖者的战争就立刻停止了，做了日本人的特务员。[1]我不能不睁眼看着我的上司由于批准开设妓院和“人肉输出集中营”而得到大宗收入。

在占领的前几天，我的部下在齐齐哈尔车站上听见停在避道上的一辆货车里面有哭声，打开车门就发现其中有一个叫做卢森伯的俄国妇人和十一个俄国女孩子，年纪都不过十六岁，其中两个已经冻死了。这妇人用几块钱把她们买来，打算把她们带到天津去。当夜这妇人被看守她的狱卒绞死在关她的牢房里。看着这妇人利用她的同胞的贫困，那血腥是更难忍受的，而处置她的那中国人正是以其人之道还治其人之身……或者这是我对于我自己的一种解释吧。第二天并无问题……我自己尤其不问。

张作霖怎样被害

前两节已经说过，自一九二〇年九月二十四号以来，我在顶好的上司张作霖大帅之下为了法律与秩序用

[1] 那时我被迫加入日本的特务机关，将来还要说明（见第三章）。

不合适的武器斗过一番了。

张作霖于一八七六年生于南满洲的奉天省海城县。他的青年时代的故事几乎近于神话，甚至有这样的传说：有一次他跑到县知事衙门里，责骂他欺压穷人，把县官的许多部属兵丁骇得目瞪口呆，就在这时候张独自判定县官该死。张执行了这判决，在众人还在惊疑不定之前溜走了。

在日俄战争中，张作霖加入日方工作，破坏俄国的交通线。他的工作被日本人所赞赏是由这事实可以证明的：战争完结之后日本人就使北京的清廷完全赦免了他，以至后来荣任奉天省的行政长官。从那时起，就开始了满洲的进步和张作霖自己的高升。在一九二二年中他终于初次离开满洲去指挥北京附近的战争。然而他的军队被吴佩孚的军队打败了，于是他退回满洲，宣布东三省独立。

他是一个卓越的行政官，一个无情的独断家。他并没有受过教育，他的成就由于他的异常聪明和非凡的记忆力。张作霖使满洲农民生活比之邻近各省的以及高丽的甚至俄国的农民生活都更为快活，以至只有一千万人口的满洲（其中只五十万是土著），到他死的时候就变为三千万人口的富庶之区了。每年都有成千成万的中国人甚至别种人来到满洲帮忙收获，并且定居在那里。

他的猛鸷的性格有许多例子，可以引证之一的，是他处置当地操纵纸币的银行钱庄经理的办法。九个经理被邀请到沈阳开会，到了之后张作霖给他们一番演说，那简单直率是可以成为世界纪录的。他说：

“我明白，你们也一定明白，你们操纵钱票市价，发了大财，害死许多农民和商人。从前我警告过你们，要你们负责任，而你们不负责任，那么现在听我说吧。倘若处于你们的地位，你们不能制止这种投机，那么你们是无能的；倘若你们能够制止而不愿制止，那么你们是错的。不论是哪种情形，你们都该死。”

五分钟之后，九个银行家的头颅就落在张作霖的庭院的地上。

许多年以来张大帅一贯地作弄日本人到底，有许多回他利用他们来达到他自己的目的。一九二五年十一月廿二号，郭松龄发了一个中国政客们所喜欢的通电，要求张大帅下野，理由是郭自己发明的。同时他派军队越过长城向沈阳进犯。那些军队是精良的，而张大帅的卫队毫无准备。

六月[1]十八号，郭将军已经逼近沈阳了。张大帅并不含糊，他怂恿日本人加强沈阳铁路地带的防务，并且使他们宣布郭军不得进至南满路二十里以内。这就是说沈阳得救了。几天之后，张大帅重新整顿和配备了他的军队，并且把中国军制服发给一整个日本师团的兵士，发令攻击郭军，得到完全胜利。郭将军和他的妻都被俘获，即刻处死。

一九二六年，张大帅在日本人鼓励之下进驻北京，在那里住了两年。然而，这时国民党军队已经风靡全中国。最初是由共产党领导，后来是在蒋介石将军的能干的指挥之下，他们达到了济南。在这里蒋将军的军队被日本所阻止，那时日军占据着胶济路。不过，张大帅看见风势不顺，所以急于想要回满洲去，张大帅的最可靠最老的朋友吴俊升，那时负着东三省的全责的，也催促他回去。

一九二八年五月十九号，驻在北京的日本公使警告

[1] 疑系一月之误——译者。

张大帅不要回满洲。这或许是使张大帅于五月廿六号突然决定乘车回沈阳的直接原因。

五月三十一号，张大帅的驻东京的密探猪心先生（Mr. Swineheart）火急警告他不可乘车到沈阳，因为他得到某种情报，说是张要在中途被刺。虽然大帅不信这谣言，他却把它告诉日军司令部的某大佐。大佐微笑答道并无可虑之处，他自己愿意和大帅同坐一辆车到沈阳去。我也坐在于六月二号半夜由北京开出和断送大帅生命的那列车里面，但是到天津的时候我必须下去调查某些问题。六月四号，日本军事当局邀请吴俊升将军到沈阳以南二十公里的一个车站上去会晤张大帅。吴将军去了，带着他的几个僚属，而且从那里和大帅同车回沈阳，列车要到沈阳的十分钟之前，那位履行约言伴随大帅同车回沈的日本大佐就站起来说要到隔壁房间里挂佩剑和戴军帽。其实，后来证明，他到列车的最末一节里去了，所以，几分钟之后，当列车经过桥下发生一阵神秘的爆炸的时候，他是比较安全的。大帅和吴将军所乘的那一节却炸毁了，吴将军和十七个人立刻死了。张大帅受重伤，几小时之后也死了。

日本人是大帅被害的主谋者，这是毫无疑问的。炸药是安置在那桥的钢铁架下面，而且向来在那里站岗的中国哨兵在几天以前才由日兵来接替了的。

张大帅死后，他的儿子张学良继承了他父亲的统治。不过，他很同情于革命的少年中国，更倾向于直接对抗日本的政策，结果，虽然满洲军总参谋长杨宇霆屡进忠告要他随机应变，而日本达到他们的目的的日子不能再延迟了。

第二章

日军占领沈阳

从张大帅死那一天起，我的生活就全部改变了。有一年多我在满洲军总参谋长杨宇霆部下工作，但是我当时觉得必须从事各种商业以补充我的不稳当的收入。这样一来，我的境况比较好了，但是我的生命常在危险之中。然而，终于遇到了更糟的事。

一九三一年九月十八号夜里，南满路的日军迅速而且准确地进至中国地区，占领了沈阳城和兵工厂及飞机场，屠杀了中国的驻军，那些驻军在夜间几小时内毫不知情，连放枪自卫的机会都没有。

对于这事变的缘由的日方解释，河本中尉宣言如下：

“一九三一年九月十八号夜间，我和六个兵士偶然沿着铁路散步。忽然我们听见离我们不远的地方有一阵炸声，我们觉察铁路被炸毁了。当我们正在研究这变故的时候，大约一百个中国兵隐藏在附近向我们开枪。我立刻和我的第三中队长官取得联络，因为长官就住在距离一千五百码的地方（并不说怎样取得联络）。那时我们听见从沈阳开到长春的特别快车就要来到了。为避免覆车起见，我命令士兵放了几枪，并且对司机示警，但是司机显然不懂。他继续开进，以至达到被炸的地方，神奇地越过了那里，并未倾覆，而且准时到达沈阳。”

这就是对公众和对国联调查团的解释。

同时，有一本小册子分散给全体日本官兵，照例长篇大论“天照大神”[1]和日本人民是神明胄裔，逢凶化吉，其中有这么出色的一段：

“一九三一年九月十八号晚间，曾使满洲恶化且奴役人民多年之故土匪张作霖之子张学良，命令支那兵士安置地雷于沈阳附近之日本铁道上，企图倾覆数分钟后即将通过该地之日本列车，该车乃自长春开至沈阳

[1] 太阳女神。

者也。幸遇河本中尉及兵士六人适在该处附近，而河本中尉者‘士族’[1]一脉相传永垂不堕之四十八代嫡系也。数码之外铁道已毁而列车将至，倾覆之祸已非人力所能挽救，彼迫而祈祷神力焉。彼乃面向日本，全诚鞠躬，祈求天照大神之保佑。彼之虔敬之祷告为神所闻。列车抵被破毁之处即自行腾起，越过危险后，复悠然降于铁道之彼端，继续迈进。列车司机及火夫与河本中尉及六名兵士皆亲见此事，足证此超乎人情物理之事实之真确矣——此事又复对全世界证明日本人为神明胄裔矣。”

据国联调查团所得的证明，事实是这样的：铁道被炸是在列车通过之后，而这爆炸是特为要照相以证明官方所发表的事变缘由而布置出来的。

中国人不但和这爆炸毫无关系，而且连想都想不到日本人会策划出这么一个事故。所以，多数中国卫戍兵都在军营里睡在床上被枪杀了。他们的枪械都存在别的屋子里，以至来不及取出一件抵抗的武器。那军营后来被放火烧了，不留一点罪孽的痕迹。

要证明这事变出于预谋，最可信的证据是这事实：

[1] 武士阶级。

驻在辽阳、营口和凤凰城的日本军队曾经在事变前一天接到命令，于九月十八号午后三时进至沈阳。在那爆炸之前七小时他们就已向指定地点出发了。十九日上午四时，不过是在爆炸后六小时之间，几千张印好的告示就已经粘贴在沈阳的墙壁上，大意是说满洲政府不守信义，下令攻击日本铁道，劝告人民各自安居云云。不过六小时之内就要察明事实，作成告示，印好，分贴各处，这是不可能的。

前任俄国将军克来吉（Glergé）——曾经被张作霖雇用，因为和苏联政府有关系而被革除，后来苏联又因为他和日本有关系把他辞退——也直接从日军高级司令部接到一份上述的文告（加添一些讨好沈阳俄人的文辞），命令他发表在那时他所主编的一种俄文报上。这命令被适当地执行了，九月十九号发行的这俄文报上就登载着那文告，于天明的时候出现在沈阳的各街市上。

事变以前一星期，许多日本的工程师、电气师、机器师已经到了沈阳，说是要建立新的发电厂。并没有建立这种厂的必要或计划，这些技术专家是来代替沈阳兵工厂的中国职员的，那些职员都在十九日被枪杀在他们的职位上。当天下晚铁路区的日军和由高丽调来的部队就进入满洲各处。

一九三二年二月五号，沈阳事变后四个月，日本军队进驻北满重镇哈尔滨。

哈尔滨是俄国人所建立的，很像欧洲的城市。当日军占领的时候，哈尔滨大约有十万俄人和二十万中国人。它是满洲铁道干线的重要中心点。

那一天上午十点钟的时候，大炮的轰轰和机枪的嗒嗒越响越近。日本的飞机盘旋在中国兵营上面，扫射少数失掉战斗力而只想逃走的中国兵士。在这以前两个星期之间凡百事业都已停顿了，街市变为一片荒凉，人人都躲在家里。全市大约有从被日军占领区域逃来的十多万难民；难民们的受苦的故事魔惑了全市的居民，惊骇着人人的心胸。

正午的时候一切射击忽然停止。两点半钟的时候，几十只有旁座和架着机枪的机器脚踏车就从各方面冲来，接着而来是骑兵、装甲汽车、步兵和坦克车。当机关枪队通过街市的时候，站岗的中国警察都被杀了，由两个日本兵来代替他们。当这扫荡活动正在进行的时候，有几千白俄来到街上，抬着日本国旗，对这些新客高呼“Banzai”[1]，许多年轻的俄国女子都被雇来迎接前进的日本步兵队，献花给那些军官，有时还连带接吻。下半天，一万多白俄的行列游行于哈尔滨各街道，一面向日本人喝彩，一面辱骂中国人，有些中国人被打受了重伤。这就算是中国人优容款待这班世界其他各处都闭门不纳的白俄所得的报答。

自俄国革命爆发之后，几十万俄国人逃难到满洲，在满洲他们都是并无例外地被款待为朋友的。自一九一七至一九三二年间，没有一天没有一批新的白俄逃到满洲。有护照的或没有护照的，犯法的和守法的全都一律受了殷勤照顾，得到安身之处。现在大约有三万白俄住在上海，其中大多数都是从哈尔滨来的；他们可以证明这些事实的真确。满洲当局曾经竭力减轻这许多俄国政治变革的牺牲者的困苦，他们之中的几千人曾经被安置于政府机关、军队、警察、铁道、矿厂和其他职务之中，往往得到比中国人还优厚的待遇。当这些白俄组织各种团体的时候，不但得到中国当局的承认，而且还由满洲

[1] 日语“万岁”。

政府津贴他们。那些白俄曾经得到出席市政会议的权利；他们被认为商会的会员，等等。

而现在呢……他们翻脸敌对他们的款待者，向那些侵入者高呼“万岁”，那些下贱的吻手示威到底是什么居心呢？总不过是想在满洲成立一个白俄政府而已。这是他们历来的梦想；而且日本人，因为要争取这二十五万流徙者的好意，曾经答应帮助他们实现他们的梦想。

可怜的、愚蠢的、被骗的人们呀！他们呼喊“万岁”的时间是很短的，觉醒毫无情面地突然来到。在日本的侵略者来到的几个星期之内，几千白俄就从满洲逃走了；别的几千被投入牢狱；几百被枪毙和谋杀。严格地说，几百个俄国年轻女子是被日本兵士强奸了的，和中国人交易得来的钱币财产都转入日本人手中。

全部没收，几乎常常连带着逮捕、拘押和处死，是每日生活的常事。日本军官都富裕起来了。这就是白俄们那样热心欢迎胜利的侵略者所得的赏赐。向蛮族野人撒去鲜花颂词，得到的是死亡和堕落。

今日全满洲境内，每个装得像样的日本人都有一两个俄国侍妾。年轻的俄国女子被迫在日本人家五块钱使用一个月。是的……可怜的被骗的白俄人呀，今天高呼“万岁”吧！明天你就要咒骂你自己为什么这样祝贺那些全无人情的丑怪东西了。

有好几天，日本兵不断地开来，而且离奇的谣言开始散播。人们都惊恐失措。他们秘密地低声谈论着枪杀了几百，践踏了几千俄国人和中国人。一九三二年二月十号早晨，我看见在离日本骑兵军营几步远的地方有两具被强奸后勒死的中国女子的尸身。一个有胆量的中国人去警署报告，他昨夜曾经看见日本兵士把这两个女子搬出来，于是他被捕了，从此永无下落。

同日晚间，俄国妇人沙里曼在街上被四个日本兵袭击，剥去了她的衣服。

一天跟一天，连续发生的许多兽性故事成了谈话的主要题材。那时是在恐怖的统治之下。每个人都忧惧自己的安全，每个人都想要离开满洲。

至于我呢，并不害怕。在服务于中国政府特务机关的许多年之中，我常常接触日本的军事当局，待我都很好的。我这样想着。我问我自己，现在我有什么害怕的呢？

我不是被介绍给驻满日军总参谋长寺内伯爵将军（后来做日本陆军大臣，现在是华北日军总司令）了么？不是被介绍给满洲日军情报处长铃木将军了么？……而且给许多别的日本要人了么？

我不是和天津日军情报处长田中大佐是很好的朋友么？他不是曾经给我许多介绍信去见日本高级官员么？……

我甚至曾经得到驻罗马的日本大使的一封很好的信……现在我为什么忧虑我个人的安全呢？日本人看待我总是相当敬重的，我以为他们将要继续如此的。我没有听见或看见过什么事足以使我自己害怕日本人。其实，我曾经屡次替他们对中国人说好话。但是我也是在欺骗我自己。不久我从我的好梦中醒来了。

第三章

哀哉中国人！

从前服务于满洲政府的中国人员大多数都被日本的侵略者强迫继续执行着他们的职务。这是日本的计划中的一个节目，要使全世界和国际联盟相信“满洲国”的成立是满洲人民革命的结果，和日本人并无关系，所以他们对于这件事是不能负责的。

十五万日本陆军，一万八千日本宪兵，四千个秘密警察是由“满洲国”政府聘请来满洲保护人民，以免受中国国民党、共产党和贼匪的攻击云云。

日本人完全控制着这所谓国家的行政，充分伸展权力到每件事和每个人，也为的是保护人民，防御那么些敌人的。打官话说，他们都不过是“顾问”，而现在在“满洲国”就有这样十万个“顾问”。不论什么部，什么署，什么会都有一两个日本“顾问”，管理每件事，命令每个人，爱怎么办就怎么办。

而这些“顾问”是些什么人呢？要回答是使人十分踌躇的。

日本军队才一站稳在满洲土地上，凡是会呱啦几句中国话或俄国话的任何品类的日本人就全都成为“顾问”了。这些日本人那时正在满洲干什么？他们大多数都是罪人、骗子、冒险家、毒品的贩卖者、妓院掌班。满洲下等社会的头目百分之九十五都是日本人。得到他们的国旗和治外法权的保障，他们是超乎中国法律范围之外的。因此，中国当局急于避免和日本人发生“纠纷”，训令警察人员对于那些事体须要闭紧眼睛。如此毫无限制，日本人就横行无忌了。

这些人就都是“满洲国”政府最急需的日本“顾问”。

这些人昨天还是被每个人厌憎的一块废料，今天忽然发现自己居于行政首长的地位，有着充分权力，甚至可以决定中国人和俄国人的生死，对于这两种人他们是最喜欢戏弄权威的。除了贿赂他们而外谁也不能感动他们。只要他们能够做得到，他们真可以征收每个人呼吸空气的课税。在哈尔滨，他们爬到那座位上不多几天，警务“顾问”就传令拘捕中俄富人，要缴纳大笔罚金才得释放。司法“顾问”决定法律案件，裁判谁是谁非。自然，出钱最多的总是胜诉，穷人总是败诉。

因为要使读者更加明了满洲的日本“顾问”制度，我以为必须写出其中一个的简单传记。他就是这全个卑劣族类的一只标本。

孔士坦丁·伊凡诺维奇·中村，如这名字所表示，是一个皈依俄国正教的日本人。这皈依并未妨碍他比以前更其是日本人。他在高丽和满洲住了二十多年，以理发为业，他有一个小店在哈尔滨近郊的南岗，这地方那时对于警察是有着最坏的声名的。但是中村并不喜欢使用剪子和剃刀，小店也不过有一个伪装的门面。他的真职业是买卖吗啡、海洛因、鸦片；在离他的理发店不远的地方经营着一个妓院。

中国当局固然息事宁人，对于日本人贩卖毒品以及妇女向来马马虎虎，然而当着这些匪类太过放肆的时候，也觉得必须做点事情。这是说明中村的名字何以三次载入哈尔滨警察记录的理由。

在一九二三年中，中村“包”了一个俄国妇人。她是带着一个十一岁女儿的寡妇。几个月之后他强奸了那小女孩。因为那母亲的控告，警察逮捕了他，交给日本领事馆。日本法庭审不出这种行为有任何罪过，按照日本法律，当他“买了”那母亲的时候，他就“已买了”她了，因此那小女孩已经变为他自己的私产。一切完事。

一九二六年中，警察又要对付中村。这回是一个俄国人到他的店里刮脸，被麻醉后劫去五百元。当他醒来察觉损失的时候，他去报告警察局。和从前一样，日本领事馆伸手来干涉这件事，宣布那俄国人并非被麻醉而是自己喝酒醉的。中村无罪开释。

一九二八年中，中村又被押解到日本领事馆，因为他收留着一个十二岁的女孩在他的不名誉的营业处。他又被赦免一切罪过。

这些事实都是我可以亲身作证的。

现在中村是日本宪兵队的主任“顾问”、俄侨管理处的主任“顾问”、俄国学校监督、圣弗拉得米大学（一所有名无实的大学）的名誉副校长。

满洲人民所必须咽下的“苦酒”并不止此。在这些遍地皆是的“顾问”的铁蹄践踏之下还不够，另一种大灾患已经降临在他们身上。成千累万的最堕落的刑事犯，其中有些是由天皇大赦才得释放的，像大群饥饿的吸血鬼似的侵入满洲。这些人形“胡狼”[1]堕落的深度是无法想象得到的。以他们所犯过的可能想象的反神明、反人道和反自然的各种罪恶而论，他们已经打破一切纪录了。满洲主要城市的街道上夜间是不平安的，其实白天也不平安。在光天化日之下中国商民被一班所谓“浪人”（日本的恶汉）殴打和抢劫，日本警察毫不过问。白种妇女是不论在哪里都不安全的，有许多白种妇女曾经被这些日本的“神明胄裔”剥去衣服加以强奸。他们在各处散播恐怖。

这里且说几千件中的一件吧。

一九三二年二月二十七号，S.K. 太太带着她十六岁的女儿走在托尔戈瓦亚大街上。一班日本浪人袭击她们，把她们带到一间日本的小房子里，在那里强奸了那母亲之后，又逼迫她看着她的女儿受四个浪人同样践踏的命运。

[1] “胡狼”（Jackal），传说狮捕兽时此物为之作伥，借喻卑贱狠毒之助手。

被释放之后，她们立刻去离那里不远的日本领事馆宪兵“出张所”里，把她们的可怕的遭遇告诉那时正在当值的一个小官和两个宪兵、一个翻译。

“你的女儿被强奸有什么证据？”小官用讥笑的声调质问。

“我可以指示给你那房子，可以请医生检验。”

“好！我现在就要检验。请你俩都进这房间里去。”

她们服从了，走进邻接的一个房间。两个宪兵缠住那母亲，同时小官和翻译（也是日本人）就轮奸那昏迷的女子。然后她俩被拘留了，被押送到中国监牢里，说是没有执照的妓女。

差不多一个月之后，那不幸的父亲才从中国侦缉队方面知道他的妻女的命运。他不能不缴出五百元使她们得到释放。日本人接了钱。五天之后，在三月二十八号，日本特务机关传讯那父亲。他们告诉他倘若他再说出反日的话他就该枪毙。

哈尔滨俄文报上才一发表这一类消息，日本军当局就勒令停刊，发下一道严厉的命令：“日本人”这名词绝不许使用于犯罪的人们，述说匪类的时候必须时常使用“外国人”这名词。从此以后，日本人所犯罪恶就全都写在“外国人”的账上了。

对于咖啡店、饭店和啤酒店的老板，这些浪人是一种经常出现的恶魔。不论白天或夜里的什么时候，他们都会哗然闯入中国人或俄国人所开的这一类店铺里，命令全体侍者放下各种事情，先供奉他们大吃大喝，然后不给一个铜钱，走掉了。这种掠夺也是日本宪兵队官兵例行公事。他们甚至比浪人更坏，因为他们不但强迫店东白白供应他们吃喝，而且当临走的时候，几乎常常要带走他们认为可以装饰他们的营房的任何东西：留声机、收音机、桌布、酒瓶、安乐椅等都被搬去了，尤其是金银器皿。他们特别爱好钟表。每个日本宪兵都有在满洲服务期间尽量收集掠夺品的雄心。当他们回日本的时候，这一切“纪念品”都全带着走了。

我曾经亲自看见过好几次日本兵团在大连上船归国的情形。他们全都满载着掠夺品，在其中我常常能够看出挂钟、收音机或留声机。

中国人和俄国人，尤其是女人，在日本浪人、日本兵士、日本宪兵和日本“顾问”的手下所受的苦痛是超乎想象之上的。以残忍暴虐而论，历史上蛮族侵凌的事迹是比不上这次满洲的被侵略的。古代蛮族的杀戮搜劫是直截简单的……这些日本野人却悠悠然有计划地干着这种事体。他们吸收牺牲者的血液，保存那肉体，以便继续重复吸收。

在大城市中所发生的这些恐怖情形还不能比拟乡村中所遭遇的毁坏蹂躏：日本兵士经过的地方，他们走后所留存的不过是死尸和灰烬而已。他们搜劫，杀戮，而且毁灭。一切年轻女子都被强奸过了。

世界各国都犯了一个最可怕的错误，把日本人当做文明人看待。这是一个危险的错误，结果要吃大亏的。

除非日本脱出了自天皇以下种种野蛮制度和非人军阀的统治，它才配得上居于文明国之列。这些配备着近代毁灭器械的蛮族野人正在毫无防御的和平人民之中发疯逞凶，默想着都是一种可怕的事情。

我见土肥原

一九三二年二月十四号，一个日军中尉和一个军曹来到我家。前者用英语告诉我日军特务机关长土肥原贤二大佐要我去谈话。中尉在三鞠躬中的异样态度就表示给我这邀请其实是命令。然而，我想要弄清楚这一点。

“倘若中尉肯赏光，请报告土肥原大佐，我吃完中饭就来访问。”

中尉又行了两三个鞠躬礼，然后作出一种咬牙屏息的姿势——日本的传统的恭敬表示——用咝嘘的声音说道：

“大佐要你现在就去。我有车在等着，我要奉陪着你。”

我想得不错，那是命令。

我戴帽穿衣，我们走了。

在特务机关本部等了五分钟之后，我被引入土肥原大佐的专用办公室里。

我认识土肥原大佐许多年了，当我在蒙古初次会见他的时候，我的印象并不算坏。我记得他是一个圆脸的矮胖子，有一小点黑上髭。他曾经时常对我表示许多格外的礼貌。外国新闻记者称土肥原大佐为日本的“满洲劳伦斯”[1]。然而，我怀疑，倘若他的妹妹不是日本某亲王的侍妾，他的许多成功就都只好存在他自己的想象中。这回和从前一样，他含笑迎接了我。我认不清那是讥讽或嘲弄。我们握手，他请我就坐。他用俄语说道：

“我喜欢用俄语。只有绝对必要的时候我才说英语。我讨厌含混的言语，正和我不愿意用英美人一样。”

他沉默了几分钟，他的眼睛固执地看着我的眼睛。

“我们彼此相知，范士白先生，是不是？你记得我们前次在哪里会见吗？”

“倘若我没有记错，那是在天津。”

“很好。你有良好的记忆力。我听说你非常聪明，一件事并不必对你解释两次。我们直说吧。

“日本军事当局从前屡次提议，要你放弃中国的职务来和我们合作。你都拒绝了。但是现在情形不同了。我并不邀请你，我是告诉你从今天起你要替日本工作。我知道倘若你肯做，你能够做得多而且做得好。另一方面，倘若你做得少而且做得坏，那就是说你不愿意工作；

[1] 劳伦斯（Lawrence. T. E.，1888— ），英国欧战时在近东一带活动的著名间谍。

那么，”——审慎而又缓慢地说——“我的习惯是枪毙几个显然有恶意的人。”

然后他又用平常的声调说：“这是战时，范士白先生，宣战不宣战都没有关系；凡是企图规避职责的都当做逃兵，而我们处置逃兵是死刑。倘若你是单身汉，又有那么些朋友在满洲和蒙古，我承认你要到中国内地去是儿戏似的容易的。但是你有一个家，一家五口要越过满蒙大平原却不是一件容易的事。你当然懂得我的好意奉承。所以我劝你高兴起来，决心显出你的才干，那么你就毫无顾虑了。”

我惊异于他的态度而且加以抗议：我并非特别不愿意替日本特务机关工作——因为我已经积蓄了一点钱，而且经营着一两个剧院——倘若诚意邀约我，不要用一种恐骇的态度，那么我是可以考虑这职位的。

他皱起眉头瞅着我。

“我并不是邀请你，范士白先生。我是命令你，而且我已经告诉你那理由。我并不必操心这一点，我想。

“明天十一点钟你到我的办公室里，我要介绍你去见驻满日军情报班长。我相信你们一定在一处弄得很好，而且你和日本人处惯了的时候，你就知道他们更好，你会觉得他们比中国人好一千倍，他们比美国人或世界上别的人种优秀得多。任何欧洲人都应该以能够替日本人工作为荣耀。小心些，留意你的行止，不要忘记了你的已故的朋友猪心所遭遇的命运。你记得吗？不记得么？他淹死了，是不是，范士白先生？”

猪心是替满洲政府工作的一个美国人。他在日本被日本人杀了，抛入海中，东京报纸上说他是偶然溺死的。

第四章

解释日本政策

第二天十一点我去赴土肥原大佐的约会。传令兵一去通报，大佐就走出他的办公室要我跟他走。我走出去，通过一个花园，进了邻接特务机关署的一个大宅邸。

这大宅邸原来是属于一个名叫加伐尔斯基的富裕的波兰人的。日本人占有了它，拆除那分隔着两个庭院的墙壁，在其间建造了一个花园。

我们走进左边的一道门，门里是一个大房间，有五个日本人坐在写字台后面。土肥原用日本话对其中的一个互相问答了几句，那人鞠躬之后，走进用布幕重重掩着的一道门里。几秒钟之后他转来要我们俩进去。

我发现我自己在一间大办公室里。那一角上有一个日本人坐在一张很大的桌子前面。他是大约四十五岁的满面喜气的人，穿着普通服装，他的眼睛闪出异常机警的光芒。

当我在这位能干人之下工作的时间之内，我从来没有发觉过他的名字或他的真实身份，我也从来没有见过他在任何盛典、任何宴会或任何人的家里。在他自己的神秘旅行之中他常常随意使用飞机和汽车。倘若要问他在办公室以内或以外的任何问题，那严重是可以危及我的生命的。与其说是想象不如说是知道，我自己并未被监视，而且我的任何可疑的行动都不会被报告给他的。然而我随时可以被他即刻枪毙或者更糟。

有一次我有理由指示给他犹太人究竟不全是坏的，他几乎当场枪杀了我。但是当我初次见他的时候他却显出他自己是一个十分温和的绅士，说着顶流利的英语，给予来和他接触的人许多照顾。

土肥原用日本话和他谈了一会，然后回头用英语对我说：

"范士白先生，这位绅士是你的新长官。从此以后你必须忘记我的面貌以及和我会见的事。倘若我们再会的时候，不论在什么地方，你必须作出你完全不认识我的样子。祝你好运道。”然后他对那长官鞠躬，离开房间。

我单独面对着我的新长官，他仔细地看着我。

“请坐。”他说。

他的英语，在日本人之中是很少有的，几乎十分完全了，使我相信他必定在外国住过许多年，或许在美国吧。这第一次和他会见给了我一种鲜明深刻的印象，以至我几乎记得所说的每一个字。

“范士白先生，我不必问你是什么人。我现有关于你的一切活动的记录，从一九一二年你歇脚在中国以至现在为止。日本的情报员曾经跟随你在中国、在满洲、在蒙古、在西伯利亚、在俄国；许多日本将领，如田中大佐和寺内中将等，都很重视你；这就是我们的军事当局不以为你是反日的理由，有些甚至相信你是亲日的咧。总而言之，我希望我们互相了解，你和我们工作并无可虑之处。倘若土肥原大佐和你谈过什么不愉快的话，请你不要放在心上。因为外国人称他为日本的劳伦斯，他就喜欢用一种鲁莽态度表示他的伟大。不过，他曾经在我的部下工作过许多年，而且我可以毫不迟疑地说他远不如他所自负的劳伦斯。当然，无人能否认他在他的职务以内曾经有过功绩，但是其实他有过许多丢脸失败，以至人们以为这些失败是整个日本特务机关的错误而不是一个大佐的错误。例如，你能够说张作霖的死是一个杰作么？”

我不知道怎样回答。我曾听说他们之中有势如水火的敌意和嫉妒，但是我也常常疑心这种谣言是反军部的宣传。然而，在和他们开始接触的第一天，我就不能不承认那些谣言的正确。否则，我怎样能够解释这事实呢：这长官公然承认张作霖的被害是出于日本参谋部的命令，而且明示土肥原曾经执行这命令？

我吃惊但是沉默。

长官继续说道：“我知道你惊疑我为什么对你这样说。我承认日本人正在努力使世界和国联相信满洲的独立是反对旧统治的人民革命的结果，而在满洲的日本人不过是处于新政府的顾问地位，但是其实并不是这么回事。你知道得太多，我用不着欺骗你。因为你和我正在进行合作，我必须对你坦白，使你明了我们的纲领。我充分知道你的能力和经验；你在满洲住了二十年，你很知道满洲人，他们的最体己的习惯，他们的态度、习惯、志愿。倘若我对你说些我们日本代表告诉国联的废话，你是要耻笑我的。”

他看看他的表。

“差不多十二点。你可以去吃中饭，两点钟再回来。那时我要告诉你工作大纲；我们有一宗大事业要做。再见。”

当两点钟我转去的时候，我的新日本长官就给我讲演一课历史和外国人的伦理学。下面的话大都是他说的：

“看英国吧，”他说，“想想他们怎样把世界的一半并入他们的帝国，他们怎样常常设法使被征服的国家偿付征服的经费。印度已经赔偿了侵略者的费用；南非也赔偿了；美国也赔偿过，当它做英国殖民地的时候它曾经赔偿过不列颠征服它所用的经费。同样的道理可以说明法国，说明美国。古巴和菲律宾还在偿付脱离西班牙而独立的代价。我们日本人是很穷的人民，我们担负不起因为占领满洲而支出的意外巨款。所以，无论如何，满洲的中国人必须支付这全部支票。这是我们的主要事业。

“不过，在进行中有些严重困难。除了损害国联和别种人的感情而外，我们怎样能够使他们赔偿呢？倘若我们公开宣言我们正式兼并满洲，那么事情就更容易，而且谁也无话可说。但是我们为了于我们自己有利的理由曾经公开宣言满洲国的成立是人民自行革命的结果，这里的日本人都不过是顾问而已。所以我们必须设法使满洲人赔偿我们，但是务必要做得像这样：谁也不能责备我们要他们出钱和由我们收钱。

“在战争中，要达到一定目的，任何手段都是善的。我们曾经使用于沈阳和其他城市的方法也就是我们现在要应用于哈尔滨和北满各处的方法。

“我们的原则，第一是暗中准许可以信托的私人的独占；第二是用间接方法强迫有钱的中国人和俄国人——尤其是有钱的犹太人——交出他们财产的大部分……这必须做得很灵巧，使他们永远不知道强迫他们和收受果实的是日本人。

“主要的独占事业是假借日军给养的名义在中东路[1]上免费运输货物；鸦片烟馆独占；毒品专卖；栽种

[1] 那时中东路还在中俄合办之下。

鸦片；输入日本娼妓；开设赌局，以及其他。

“获得独占权的人们必须缴纳巨额款项。一切都在我们的保护之下。你必须知道每个来到满洲的日本军官都希望两三年之后带着十万八万回去。我们必须监视他们，尤其是宪兵军官，因为我们设法从满洲人榨来的任何款项都必须交到日本政府，并不是给日本军官的。

“这些军官想尽方法努力赚取他们能赚到的钱，要阻止他们是不易的。日本的宪兵有一种坏名声，宪兵军官是被轻蔑的，无人愿意和他们来往。甚至陆军军官都闪避他们，和他们离得远远的。高丽和南满，那些宪兵军官实际上统治着全部司法行政，有权裁判全体人民的生死。当宪兵军官预备退役的时候他往往有十万至二十万元存在银行里；同时一般陆军军官却穷得没有钱买米。反对宪兵军官的事我们能做的很少，他们全是少壮派，他们的目的是要把一切民政军事权力都奉还天皇。它是最有权力的一派。他们无所顾忌，他们硬干到底。许多想要反对他们的大臣和将军都已丧失了性命。我们必须格外小心地对付他们。我们必不可直接打击他们，但是我们必须用打击他们的党羽的手段使他们孤立。”

我被这些话的坦白所惊骇，呆坐在那里，同时长官点起一支纸烟，并且吸了几口，仰望着大窗户之外的天空。他抛掉纸烟，继续说道：

“在几天之内，和我们相识的五十多个中国土匪要从沈阳来到这里。他们要来联络本地流氓，将来我们在北满要有一千人至一千五百人随时准备执行我们所发的任何命令。在哈尔滨我们必须找出二十多个能够‘办事’的强悍的俄国人，他们必须善于使用短刀和手枪，而且闭着嘴严守秘密。最后，我们需要十多个熟练的扒手，这些扒手必须机警聪明，衣冠华贵，知道怎样对付最上流的人们。

“土匪是有许多用处的，对于某些大规模的活动我们必需用他们。例如等我们把他们组织起来，就要做一件头等重要的事业：妨碍哈尔滨与海参崴之间的通车，使它陷于完全停顿。苏联运送他们的全部商品和巨量大豆都经过海参崴，这对于我们的大连港是不好的。那俄国铁道将要被边境上的我们的土匪所袭击，使它屡次倾覆，一次跟一次，一直到俄国人自己觉得非由大连港转运他们的货物不可。而且也要破坏苏联的其他铁路线……有时也要……做出日本铁道也被损坏的样子。然后，我们的土匪将要在俄国边境上创造种种事故，完成很有价值的工作；在满洲境内也要制造事故，绑架富人，迫使他的亲戚来赎；袭击中国乡村，等日本军队一到就逃走，使我们可以得到中国人民的感谢；假装袭击日本军队，造成借口，我们就可以实行剿办和撤退居民，把那区域交给日本的殖民者……还有种种别的用处。

“至于我们雇用的扒手队呢，我们要用他们盗窃住在满洲的外国人，尤其是那些旅行家。他们将要窃取他的皮包里的文件和信件。搜查外国人是不容易的，而且倘若我们搜查他们，他们就会提出无穷的抗议使我们麻烦得要死。可是，倘若俄国扒手偷了他们的皮包或行李，他们却不能归罪日本人，他们能吗？

“在哈尔滨、齐齐哈尔、海拉尔和北满其他地方有许多俄国侨民团体，在组织的性质上它们都是最反对苏联的。至少，我知道是如此的。你，范士白先生，这么多年以来，都做着满洲秘密警察的高官；你懂得在满洲的各种人的言语和习惯，当然很知道俄国侨民的许多方面以及他们的组织的一切。所以我要你预备给我一份详细报告，关于各种组织的性质、纲领、范围、活动以及主持人的小传。

“我想要消灭各种对于日本不大真实亲善的社团和组织。对于我们还有一个麻烦问题，就是那些所谓文化人。他们拦在路上，他们妨碍我们的计划。对于那些旧俄的将军、大佐、教授、贵族，我们有什么办法呢？他们是些讨厌的东西。我们所需要的是很聪明的年轻人，以一官半职为荣而又愿意做我们所要做的事体。我们需要俄国人的名义来掩护我们的行动——人不一定都是些思想家。我们所需要的是不太聪明而有野心的人，他们的虚荣心使他们觉得他们自己在掌管着什么就会快活起来。你的任务是从俄侨的团体之中选拔这种人物。你选择他们的时候必须注重他们的贪鄙和缺乏爱国心。你写好了就交给我。”

长官训话

当这位满洲的特务长官这样指示给我日本政策的纲领的时候，我把我的各种任务记录下来。

“当那些俄侨团体改组了，由我们选拔的人来主持着的时候，我们必须在北满各处设立支部。每一区分部都由会说俄语的日本人来管理，没有得到主任顾问的许可就什么事也不能做。我们所改组的团体对于反对苏联是特别有用的，尤其在中东路附近地带。

“我们每天都要惹起苏联人民或别的发生一点事故。日本特务机关的第二科会供给我们搅扰和拘捕任何苏联人的一切器材、共产党员或非共产党员。对于这种目的我们需要一切文件，而且我们必须使我们的工作员毫不迟疑地去干。你必不可忘记布尔雪维克是像野兽似的，也必须这样处置他们。

“记住，我永远不出面，我永远不作证，除了与日本人有严密关系的事件而外。你的主要任务是作为我的中间人，对于你的命令都是由我直接发给，别的任何人都不行。和别人有关的命令，由你自己传递给有关的方面。不论俄国或欧洲人都不许直接报告我和走进我的办公室。这种规矩，只有三个我信赖的熟人才是例外。准许不用请求或通报就可以直入我的公事房的，就只有你一个。因为我相信你，所以我给你这种特权，但是因为你是一个归化中国的人，所以我随时都可以把你枪毙掉。况且，我们现有你的家属作为保证，所以你要忠实地完成你的职务。”

我始终注意地倾听着，随时速记在一本备忘录上。不论这位满洲日本情报班长说些什么，或怎样说的，我都维持着一种泰然自若的外貌，好像很适合于作这人的助手似的。不过，我越加明了我的任务和我必须执行的那种可恶的工作的性质，我的心里就越更强烈地想要扼住他的咽喉。他和我说得这样坦白，以至我相信他以为我是永远逃不出他的掌握之中的。他冷静地和精密地计划着数千个善良的人类的灾难和苦患。但是我充分意识到，抵抗甚或牺牲我自己和我的家族，都没有效果，日本的另一个汽轮子会来代替他照样转动的。我保持镇静，安定地倾听到底。

长官继续说道：

“最后一个命令。哈尔滨有许多外国人，英国人、美国人、法国人等，都还享有治外法权，我们必须注意他们。有许多是苏联的侦探，另一些是美国或英国的侦探。那些英美人都必须随时加以监视。他们以为他们的国家有特权在远东，日本每次行动他们都要编造一些愚蠢的理由来干涉。我们日本人不承认那些特权。美国有它的门罗主义；我们也有我们的主义。整个东方都是我们的势力范围，必须在我们的控制之下。高丽、满洲、蒙古，以及不久之后的中国和西伯利亚将要成为一个帝国——日本帝国，臣服于我们的伟大的天皇——世上唯一真正的天皇，因为他是天照大神的后裔，而且日本人全是神明的胄裔。日本人是世上唯一神圣的人民，理由是他们历来不和别种人混合。我们的文化是神圣的，所以日本的一切都是神圣的。我们并不想把我们的文化传播给我们已经征服或将要征服的人种，这些人种终归是要消灭的。高丽人将要被种种罪恶所蚀尽；中国人是鸦片和别的麻醉剂的牺牲品；俄国人将要被麦酒所毁坏。他们全都是要消灭的。只有天照大神的后裔才配做我们的帝国的人民，而且这不过是神明给予我们人民的使命的初步。第二步就要征服印度洋和太平洋中的一切岛屿；以及西伯利亚以西的乌拉山地带。你不要笑。神是不说谎的，日本的命运是由神明注定的，什么东西也挡不住日本变为世上最大帝国！

“世人切不可迷惑于我们的内争、我们的政治暗杀、我们的经济问题。这些事情并不是腐败的表征；恰恰相反，它们是爱国精神的表征。你不要怀疑于我要你注意想要暴富的日本军官。他们从命该消灭的下劣人种取得钱财是不算罪过的；而且那些钱总算归入日本，归入国家。不，我们所留意的是要使钱财由最直接最短的道路归入国家。外国人惊疑日本司法官不肯强迫日本人偿付他们的债务、他们的房租，和其他法定手续。这是因为他们不懂得日本哲学的基本原则。一个日本司法官，知道他是神明之胄，怎样能够强迫另一个神明之胄偿付给野蛮族类、命该毁灭的族类呢？这种事情对于日本人是不可思议的！”

“梭刁斯卡？”[1]我说。

“不，不！不要说日本话，即使你懂得这种言语；这使我引起一种轻蔑。我们日本人不愿听外国人说我们的言语，亵渎神明似的。日本的言语是专供神明之胄使用的，它是天照大神的言语。我一听见外国人说日本话就想绞死他。我们说英国话吧，谁也不管，每个人都说，

[1] 日语，意云“是这样吗”。

那是一种说不愉快不合意的事件时候正该应用的言语。不论什么时候，我一想咒骂谁，我总是说英国话。

“还有一件事我几乎忘记了。在满洲有四万苏联人，大约二万二千是中东路的雇员，其余的是小商人或各工厂的工人。他们的大多数都是共产党，做着宣传工作。当然，这是反对日本政策的，我们的义务是用尽各种方法迫害他们。我们必须毫无怜悯，毫不示弱。我们的工作原则是宁肯罚错一千不愿放走一个，倘若苏联政府拒绝把路权卖给我们，那么我们就要夺取它，把每个混账野种都驱逐出境！留下的和我们不能驱逐的也不能不走，因为我们要使他们生活不安以至自愿离开。我们必须不给他们一分钟安宁。

“你要明白，要使白俄有充分自由，任随他们随意处置红俄。红俄的家宅每天都得加以搜查，把他们的必要家具弄得乱七八糟，而且不断地侮辱嘲骂，使他们狼狈得非走不可。

“除了这些红俄而外，北满还有七千犹太人，对付他们比较困难。虽然他们全是在俄国出生的，可是他们能够经由大致合法的手续归化别国。有些变为英国人、美国人、法国人；另一些变为土尔其人、意大利人、德国人、波兰人等等。而满洲最大多数外国公司都是他们所有的，多得数不清，以至无论什么地方只要有一面外国旗插在门前，你就能够断定其中隐藏着一两个犹太人。当然，我们不能公开地直接攻击他们，尤其是那些属于享有治外法权的国籍的。但是我们要用间接方法使他们为难。倘若因为治外法权我们不能触动他们，我们却很可以触动想要和他们交易的人们。和这些外国公司交易的任何中国人或俄国人都要设法借口那样这样加以拘捕，一直到他们绝迹为止。而且这并不需要长时间，因为俄国人和中国人不久就会明白和这些外国公司交易是危险的。

“我所给你的训令，我也给过北满日本特务机关的一切首脑。我是能够发令给你的唯一的人，而除了我而外你不必报告任何人。不要使你的属下知道，甚或猜疑，你替我工作，我是你的长官，而且你永远不会知道我的命令是从谁人得来的。对于你的主要的助手们也是这样，必定不使他们知道谁是他们的长官或谁人发号施令。我们的情报工作并不像一道连环，一环不必连通另一环，倒是必须点点相续，有谐和一致的作用，可是并无直接联系。那么，纵然敌人抓住一个，他也无法发现别个。

“我看你记笔记，这是一种坏习惯。笔记本容易失掉，或被偷。最好是全靠你的记忆。我听说你的记性很好，这是你的一种长处。现在去吧。明天开始工作。”

“请原谅，”我说，“你提到别的特务员，我的主要助手们，我可以问你他们是谁，在什么地方么？”

“不要担心这个。到适当的时候你就会认识他们。我现在还不能告诉你在什么地方和什么时候。现在你先预备给我关于白俄组织的报告。”说着他就伸手给我，我握了就走。

在回家的路上，我觉得好像在梦中似的。我被刚才听到的事弄得昏迷不醒。一切都是难于相信的，而最不可信的是他曾经告诉过我这么多。现在我才知道我所听过的日本人在高丽大屠杀的一切故事以及我不曾相信的许多故事都必定是真的，也正如过去四个月间满洲境内的种种恐怖传说一样。我曾经想过日本人是豪侠的，他们是一种高尚慷慨的人民，而现在这种思想已经成为蜃气，化为乌有了。我面对着可怕的现实。狼已经换脱羊皮；假面具已经落下，露出了日本人的真面目——一种残酷无情的野人。一种完全缺乏道义的人民，对于别人的痛苦熟视无睹；他们的穷凶极恶毁灭了数百万人而毫无悔意；最可痛惜的是世界列强曾经帮助着武装了这种人，而他们还傲然自称为“神明之胄”！

现在我像许多中国人一样被压迫着做他们的丑行的帮凶。我的心里满怀着反抗的暴风，我很想加入那些环境艰苦而勇敢奋斗的中国人队伍里，去做他们所常说的“打猴子”的工作，而不愿投降。但是一想到我的妻子就冷却了我的沸腾的感情，使我束缚于理智计较之内。倘若我任随我的感情冲动，我的家属会变成什么样呢？我的勇敢的妻、我的可爱的女儿和儿子、我的衰老的岳母呢？在这些无情的破坏狂的手中，他们将要遭受怎样的命运呢？不，我必须忍气吞声。无论如何表演着这丑角，等待有那么一天，机会必然要来的。那么一天……快……我希望。倘若我一旦明白我的自救是无望的，那么我或许早已决定采取极端行动，但是我茫然不知道我的将来的命运。差不多有五年之久我期待着离开满洲的机会。我对于我的自由的希望，使我能够忍受我所亲见的种种恐怖光景，使我忍耐着狂妄恶劣的日本人对于无力自卫而陷于他们网罗之中的人们戏弄权威所施的侮辱。

我的第一次任务

第二天，我开始做着我的新的日本主人所指示的工作。

凭着回忆，我不能不做一个关于北满白俄组织的报告。他们有各种团体，总机关都在哈尔滨，支部分设于满洲各地。

主要的团体是：

（1）难民委员会：会长科洛科尔尼阿可夫。

（2）俄侨委员会：会长戈洛波夫。

（3）退役人员联合会：会长维兹比特基。

（4）帝制党：首领乞斯里金将军。

（5）法西斯党：首领科士明将军。

（6）不动产所有人会：会长甘达地。

（7）股票交易委员会：会长加巴尔金。

还有哥萨克人的各种组织，以及很不重要或简直无聊的另一些团体。

要明白这些首长的为人是容易的，结果日本人只愿意保留其中两个的职位：俄侨委员会的戈洛波夫和帝制党首领乞斯里金。

戈洛波夫有一个伟大功绩：他从来没有做过一天工作就到了五十四岁。他的职业是代理什么俄人团体的秘书或会长……以及借债。除了和他的胃有关系的事物而外他毫无理想，他的唯一幸福是坐在陈设着“萨古斯卡”[1]的桌子面前。关于这一点他的声名是如此浩大，每当俄人们谈论他的政治主张的时候，只要一说他是“萨古斯卡主义者”一切问题就全盘解决。他从来没有失误过一次酒宴，无论是法西斯主义者的、无政府主义者的、君主专制主义者的、或任何集会的。他的意识形态的无限伸缩性，配合着他的饕餮的乐天精神，这就使他成为日本人的理想人物了。

帝制党是君主专制主义者们想要拥护西里尔大公做俄国皇帝的团体，首领乞斯里金是一个空头汉子，虚荣

[1] 俄式十锦菜，其中有各种开胃品。

自赏的寄生者。大公和假托名位的伟人们从巴黎寄些勋章宝星来给在满洲的他的臣僚：这样那样骑士章呀、这样军团长呀，如此这般的训勉一通。乞斯里金自己的胸前就挂着十四个闪闪的勋章；在大战终结的时候，他以上尉资格逃出来，现在已经由大公把他升为骑兵中将。因此帝制党的最大多数党员都做了将军而且佩戴着各式俄国勋章。

乞斯里金的生活要件和乔治[illegible]世的一样：滑稽小丑和胖女人，不过他还喝麦酒——这是日本人时常丰富地供给着他的。他正是日本人所需要的人物，他们已经使他做了满洲白俄军总司令。

正经地说吧，乞斯里金是愿意被日本人雇用的少数俄国退职军官之一。这些军官的大多数却宁愿受迫害，饥饿，甚至拘禁也不愿做可耻的工具。

曾经欢迎过这些侵略者的俄国人，不过几天之后就发现他们是些什么东西了。当做解放者似的接待了的日本人，毫不迟疑地显出了真实颜色。

马狄将军的儿子尼戈拉马狄和我自己一样，被迫留在哈尔滨替日本人做事。有一天，他告诉我："任何共产党员替苏联宣传都比不上日本人在满洲的宣传。”这是有事实证明的：每个月都有好几千曾经逃来满洲寻求安宁的俄国难民去到苏联领事馆请领护照回国，因为在满洲受日本人迫害已经成为不能忍耐的了，他们宁肯抛弃白俄的信念而变为布尔雪维克派。面对着两种性质相反的压迫，他们择取了红的而反对黄的。现在，不论住在中国内地或满洲的俄国侨民，没有一个不诅咒日本人的。例外的只有日本侵占之后所释放的那些刑事犯的俄国人。他们仍然继续喊“万岁”，否则又要回到监牢里。

没有一个自重的俄国人愿意和日本人做任何事体。这是如此真实的：当日本人任命乞斯里金将军为满洲白俄军总司令的时候，他们不能找出一个退职的俄国将军愿来接受参谋长的职位。他们不能不设法装扮一个傀儡。一个在哈尔滨秋林洋行前面讨饭的病乞丐被选来担任这要职了，他曾经是谢米诺夫的哥萨克军在西伯利亚时代的一个将军。这可怜的家伙，既害肺病又害梅毒，洗了一次澡而且穿起新衣服来。几天之后白俄的政府公报上就发表塞尔尼可夫荣任参谋长了。

俄人团体的别的首长们，曾经得到日本的欢迎辞职的通知，全都一致拒绝了。于是日本人就对这些“叛逆”宣战。有些是经过几个月的加紧迫害之后退让了；另一些，如甘达地和加巴尔金等，就坚持了四年之久，无论怎样迫害、恐吓、拘捕，一直到一九三六年春季他们才被日本人迫而辞职。

退职总督甘达地是一个坚强的人物，虽然已经是八十四岁了。当一个日本宪兵军官带着逮捕令来到他家的时候，这老绅士佩着他在阿莫尔总督任内日本天皇所赠的最高勋章挺身而出。这高级勋章使它的佩戴者免于被捕。那军官鞠躬，惶恐而退。自从那一天之后，每当“满洲国”法庭传他去问话的时候——因为他被日本雇用的白俄无赖所控告——他总是戴上那天皇所赠的勋章去出庭，然后回来，并未被押解过。

有一次，那两个小无赖在庭上控斥甘达地侵吞甘达地经营了二十年的私立学校的基金。那两个小无赖依仗着日本人的势力，用最下流的言词辱骂甘达地，不顾中国法官的制止。在判定这两个无赖的证据“系属伪造”的时候，首席法官问老总督是否要辩护。甘达地站起来，很沉静地说道：

“我拒绝答辩这两个小无赖的控斥。我痛心的是看着两个俄国青年为了一个月三十五元钱就堕落到出卖人格给日本人。这就是我所要说的。”

当甘达地离开法庭的时候，法官陪送到门口，责备他自己不该传他，又说了常说的话：“这不能怪我们中国人呀。”

第五章

影，这土匪

一九三二年二月二十五号，我的长官叫我去访问新城大街上的日军司令部，说是有人在那里等待我。

当我到的时候，我惊异了，出来接见的是一个很会说俄国话的中国人，而且把我让在上位，好像在他自己的家里似的。

我们坐下。一个仆役送上烟茶之后，我们按照中国礼仪，在未谈到问题之前，互相讯问彼此亲属的康健。客套一完，他就突然说道：

“范士白先生，你就要会见你的一位老相识了。”

“我的长官要我会谁都可以的。”

“很好。但是你要去参加的集会和你的长官并无关系；他甚至不知道他，而且他必定永远不知道他。他将要工作而且将要接受你的命令。你将要给他执行命令时所需要的款项。别的事和他无关。”

“很好！在什么时候我会见那位先生呢？”

“我们现在就去会他。请，走吧。”

“记住！不要提到我们的长官或日本人”是他最后的警告。

我们出去，一辆日军常用的那种大轿式汽车正在门外等着。

我们一坐上去，车即刻就开了，过了新城大街又向左转。

车夫和坐在他旁边的人说了几个字。

我觉察他俩都是俄国人。

走了十分钟之后车停在一座单层的大宅子前面。

我们显然是被人等待着的：我们一到门就开了。

当我们走进接待室的时候，我看见四个拿着手提机关枪的中国人。我还来不及研究他们，一道门一闪开就有一个脸胖胖的中国人来迎接我，笑嘻嘻地。

我看着他，吃惊了。

在我前面站着的是著名的王建治，林秉直呀、马秀之呀，他有二十多个名字，窜扰满洲各处的许多匪首之一。

我的向导说得不错，王建治是我的一个老相识。上次我和他相会是在满韩交界的小辑安山里，附近有一个村子叫做王堂台。我的三个部下和九个土匪的坟墓都还在那里，标明我们欢晤的地方。王建治胸部上中了一弹，右腿上中了一弹。我曾经捉住他而且把他送到医院去，快要死了——诊治他的中国医生说的。但是死，自然的或人为的，都没有临到他。中国的大土匪头是钱多势大的。

四个月之后王建治比以前更多活气了，曾经逃出监狱，重理旧业。

而且现在他正在笑嘻嘻地看着我。

他伸出手来，我们握了。

王是勇敢而且爽朗的。他绝不怕公开宣说他是什么人和他干什么营生。倘若日本人也能够这样爽朗那才妙哉哪！纵然要因此获得全世界的谴责和轻蔑，到底也有些可敬的。

“我高兴和你再见，范先生，”他说，“真高兴，更加上我们现在就要合作。我要告诉你我已经忘掉从前的事了。我俩都要忘记我们从前是仇敌。从今天起，万事更新。”

他转向那四个武装的中国人，那时他们远离着咧，说道：

“喂，伙计，都过来！这位先生就是我跟你们说过的范先生。从今以后他是我的最好的朋友；做了我的朋友，你们全都得恭敬服从。谁要是敢在他面前撒野就该倒霉。都记着，这是我的命令。谁要不尊敬范先生就是不尊敬我，你们都知道忘本的混蛋就该死。”

“范先生，这是我的四个帮手，铁石心肠。”

四个人鞠躬，然后我们大家握手。

最近二十天以来，我握过自称为军官、宪兵和文明人的日本土匪的手，现在握着不怕承认自己是土匪的人们的手，我倒觉得放心而且愉快。

陪我来的中国人沉默已久了。我不知道他是什么人，确乎不是土匪。他的皮肤是黄白而细腻的；他的指甲养得很长，显然是从来没有过体力劳动，确乎是城市的居民。在介绍他自己的时候，并不说出名字，却说："我承我们的长官看得起。"

王建治做了一种表示，一道门开了，我就看见一个大台面上的丰盛的筵席，陈设着中国的珍馐和俄式的"萨古斯卡"。

"我想，"那匪首说，"最好我们随便吃点东西庆贺我们的再会。你肯赏光尝尝小酒野菜么？"

我们大家坐下，我首先注意到的是那些侍役，全穿着中国衣服，而都是日本人。凡是在东方住过多年的人都能够辨别这两种人。

谈话活泼起来了。匪首喜欢述说当年我们在相反原则之下遭遇着的种种事故。他谈论张作霖大帅；谈论别的中国要人，有几个做他的牺牲品；谈论日本、中国和欧洲的政治。

当我听着他的谈话的时候，我对于他逐渐感觉重视和赞赏。他是博闻广知的，这匪首，不能不另眼相看。

一个侍役走近陪我来的人——这人一直没有加入会话——对着他的耳朵说了几句日本话。后者就转面对我说要我去听电话。

“哈喽！”

“哈喽！范士白先生么？我是情报处长。你吃完之后立刻就到这里来。”

“很好，长官，我就来。”

我回到餐室里。陪我来的中国人就道歉，说是别处有要紧事，起身走了。我送他到门口，临别的时候我说：“我希望我们再会。”

“我恐怕不能。今晚我就要到南方去。”

因为我的长官训诫过我不要问别的特务员或和这工作有关的任何人任何问题，我就不再说话了。

回到桌上，王建治命令侍役拿香槟来。这时麦酒和烧酒，使每个人都十分快活了，王建治尤其高兴。

他不断地重复说着和我重逢是怎样欣喜，将来合作是怎样了不起。

“我再专心干五年，那时我的钱一定够养老了。我要住在中国内地的外国租界里，那里我有许多朋友和同行，或者我要出洋。现在我必须做事，挣钱。得受你指导是荣幸的。今天要纪念新生活的开始，我要取一个新名字。以后我就叫做‘影’。范先生你也应该给你自己取一个新名字。”

“不，谢谢，我就要我那老名字。”

“好的！我听说意大利文的‘范士白’是说一种有刺的小动物。我们中国话叫它‘蜂’。那么我们就叫你蜂吧……来，小伙计，把酒杯都斟满，我们要庆祝蜂和影的健康。”

我们祝饮了我们的健康，然后我说我要走。一个侍役立刻就告诉我我的车正在门外等待着。

影硬要陪送我到街上，催促我赶快使他知道我们要合作的是哪一类工作。

我们告别了。

我坐在车里，觉察还是那两个俄国人坐在前座。

长官发狂

几分钟之后我会见长官。他微笑着说：

“唔，你在王家很快活了吧？”

“请原谅，王已经死了。他现在是影。”

“是的，我知道。你是蜂。”

“那日本侍役已经把我们的谈话用电话告诉你了。”

他又微笑了。下面是他那时对我说的话的大意：

“听着。影，以后就这样叫他，已经替我们工作了二十年；但是他绝不能说他曾经接受日本人的命令或金钱。他知道不知道他替我们工作并不是我们所关心的，事实是他从来没有和任何日本军官交谈过。好，现在谈要做的事吧。……影已经带来了三十六个人，每一个都是试验过，证明可靠的。大约需要五六个星期的时间来从当地土匪之中选拔我们所需要的一千五百人。他们将要从你接受命令，单是你和他们接头。记住这一点：绝不可谈到我或日本人。记在心里，他的人们都是绝对相信他们是替苏联政府工作的。他们之中的一些人相信他们是替美国工作的。无论如何，你必须用巧妙的讽示使他们猜想他们是得了欧洲人的钱的。这是你做我的中间人的工作要旨。大约十天之内影必须招集足够做我们开始办事的人数。

“我曾经训令宪兵司令征集一批什么也不怕的俄国人：敢放枪的人，铁石心肠的人，能够闭紧嘴皮而且不被良心搅扰的人。我想要直接指挥他们，但是我觉得这是不可能的。所以我决定把他们转交给宪兵队。

“理由是我要避免和欧洲人有一切直接关系。你确是一个欧洲人，但是你现在是中国人民。即使我枪毙了你，我也用不着对任何人解释什么的。我并不这样做；恰恰相反，我相信我们可以处得很好，而且不久我就能够完全信托你了。

“这是宪兵队所选录的俄国人的名单。考察他们，写一个报告给我！我要把它和宪兵队的报告比较一下。我不信任任何人，范士白先生，我接到各种报告我都要严加审核，多方审核。我们必须得到真情实况。

“那些俄国流氓将要帮助我们敲诈我们所不喜欢的富厚的犹太人和俄国人。我要把他们的财产取过来，把他们踢出满洲以外。他们走的时候，只带着空钱包。”

“犹太人不全部是坏的，”我大胆地说，“我知道在满洲的许多犹太人都十分绅士的，正直地做着生意，欢迎日本人在满洲。”

长官一跳就冲到我面前，好像他要扼住我的咽喉似的。

“你敢对我这样说？你敢替犹太人辩护？你再说我

就扼死你！犹太人全是猪！欧洲人全是狗！这就是我们要把他们全都赶出中国和太平洋的理由。但是犹太人还更坏。你敢说你觉得他们不坏么？你懂得‘绅士’是什么意思么？这是英国捏造出来的。当一个英国人掠略别人的时候他就变为‘绅士’；倘若他掠略多数人的时候他就变为‘爵士’。这样说来，犹太人全都是‘绅士’和‘爵士’了，因为他们除了掠略和他们交易的每个人而外什么也不干。只有日本人是犹太人所不掠略的。但是我以为这还不够，在满洲要多做些事，我们日本人正要剥犹太人的皮。我给你的名单上的那些俄国人就是要替我们去做这种污秽工作的。我们日本人不愿意弄脏我们的手。你为什么不看看我给你的名单？”

我看看那名单，上面有十个名字。

“有你认识的么？”

“差不多全部认识。他们都是些积案甚多的顽梗的刑事犯。”我回答。

“他们正是我需要去讹诈犹太人的人们。你以为我们应该雇些学者或道德家去干那种工作么？”

半闭眼睛看着我而且讥刺地微笑着，他继续说：

“你知道……我十分惊异你。我听说你是一个十足的魔鬼；而现在我觉得你充满了狐疑和道德教条。在你所信从的张作霖和杨宇霆时代你是干什么的？张大帅是土匪，而你替他工作了十多年……这应该是使你成为一个头号土匪的了。回答我。”

我回答道：“关于张作霖大帅的出身有种种的故事和神话，多得很难提出一种意见。据我所知道，他是统治东三省的高明的长官。在他统治之下满洲才变为今日的满洲——在中国境内最进步的地方。在近二十年内数百万中国人从别省迁移到满洲，安居乐业，就是明证。在我服务于张作霖之下的那么些年代之中，我从来没有听见过他本人讹诈过任何中国人、俄国人和犹太人。不但如此，只要他一证明政府官员实行讹诈，那家伙的脑袋就不停在他的肩上。无论张作霖或杨宇霆，都不曾叫我做过我认为可耻的事。再者，倘若你以为我不适宜于这种工作，倘若你觉得我太迟疑，你为什么要强迫我去做呢？最好是让我带着我的家眷回中国去。”

“你和你的家眷都要住在这里，”他坚决地说，“占有重要地位的中国人不准到中国内地。他们只有三条路：

替我们工作、做和尚或枪毙。以你而论，因为你是欧洲人，不能做和尚；所以只有两条路：替我们做事，变为满洲国的好百姓，否则枪毙。你在满洲、蒙古、西伯利亚住了二十九年；你知道每个乡村；你知道这些人民的言语和习俗；你知道谁好谁坏，你替张作霖做过有价值的工作，而且你将要替我们同样地工作。老实说吧，倘若你是单身汉，那么我一定枪毙你，因为我不能信任你；倘若你是单身汉，我相信你早已做了土匪头，给我们无限麻烦了。但是你有一个家，你忠心爱护的家，我相信只要我们监视着你的家，你就会施展你的本事，忠实地服侍我们。倘若你要反叛，你的妻、女、儿子和岳母将要遭遇怎样的事故，你是知道的。不要再和我谈到中国去。从现在起，你只有一条路：执行我的命令，不顾你的良心。把良心问题交给我们吧，我们是能负责的，我担负你的一切道德的责任。你的宗教是什么？”

“天主教，长官。”[1]

“天主教？看你赞赏犹太人的那样子我就已疑心你是天主教徒。好，不谈这个，还是讲事务吧。日本运输

[1] Sir，上文译为“爵士”，此处意含讥刺。

公司、国际联运会社，已经取得在中东路上以日军给养名义免费运输商品的独占权。那会社因为这独占权曾经付过大宗款项，不过接受这宗款项的日本军事机关必须给他们一切必要的保护。一切企业公司想要减价运输货物，都必须请求国际联运会社。

“现在，我们知道宪兵军官，甚至陆军官佐，常常和私家公司接洽减价运输货物，把钱都放进他们自己的腰包里。这是不行的。由于不付苏联铁道运费所赚得的钱又须归入日本军事金库，不能归入军官腰包。自然，我们不能触动那些军官。当你发现任何不规则的事体的时候，你必须设法惩罚货物所有者，而不问那些军官。你的特务员应该常常注意的是除了独占公司而外什么人在运输货物。自然，国际联运会社将要供给你他们所有的情报，使你便于工作。”

我冒昧说道：

“但是，当苏联当局知道大宗商品不付运费的时候，他们会说什么呢？”

“他们什么也不说。他们能说什么呢？铁路是在我们的手里，在日本陆军的手里，倘若日本付给苏联政府任何款项，那是可耻的事。况且，中东路不久就要属于我们。我们要自定一个价钱来收买它，否则用武力夺取。苏联政府是什么东西，呃……一群虚张声势的东西。苏联陆军是一只纸老虎。他们的海军是一只纸老虎。今天我们占满洲，明天占领华北、蒙古。然后我们就要表示全世界，苏联的统治者是怎样虚张声势的大骗子。倘若我们愿意出几百万买中东路，那是因为我们要不付一分钱就得到西伯利亚大铁道……连西伯利亚土地在内。我们一得到中国和西伯利亚，我们就要发动我们的强大的海军，向南方进攻：菲律宾、安南、婆罗洲、苏门达腊、新几内亚、澳洲、印度……”

这位日军驻满情报处长说到日本的征略计划，太兴奋了，满脸通红，好像就要突然中风昏倒似的。

沉默了一分钟，他才较为清醒地说道：

“明天午后六点钟，你要到新城大街日军司令部去访蔡增志，他将要介绍你直接在你指挥之下的五个特务员。每个特务员都指挥着十多个助理特务员。不要让他们知道他们是替你工作的，也不要让那五个特务员知道你是替我工作的。和这几个人接洽之后你就转到这里来，我还要给你另一些指示。”

我会我的助手们

第二天下午六点钟，我到司令部去访问蔡增志。一个日本军曹引我走过庭院，到了一间几乎没有陈设的大房间里，他走了，单留我在那里。几分钟之后，一个大约四十岁的中国人，穿着西装，走进来问我是不是范士白。

“是的。”

“欢迎。”

我们握手。

“请坐，等一等。”

一个日本军曹送烟茶来。

我们坐下交换了几句客套话，我们听见一辆自动车到门外停住。

然后那日本军曹进来报告那些俄国人已经到了。

“带他们进来。”蔡增志说。

当他们进来的时候，我认识其中的三个是俄国的退职军官。

简单的介绍之后，那中国人就对那五个特务员说：“这是你们的长官，你们必须绝对服从他。不论他发给你们什么命令，你们自己和你们的人都要忠实执行。你们的任务和你们的薪资都由他发给你们。你们不接受其他任何人的命令或联络。”

然后他对我说：

“这儿个人是你的助手，他们是第一号到第五号。谁也不必知道他们的真姓名。现在我要走了。”

蔡增志走了。

我单独对着我的五个新助手，我说：“现在我只有一个命令，要你们察看在中东路上作为军用品免费运输的货物是否经由国际联运会社，不由那会社经理是不行的。”

然后我告诉他们在正午一点钟的时候到日本人指定给我的那房间里去报告；那房间就在日本特务机关第二部的公署里面，而且我被迫住在那里面。

我们走散了，我直接就去见那长官。

“你看你的助手们怎么样？”他说，当我才一走进去的时候。

“我认识其中的三个，退职军官；别的两个我不知道。他们像是军人。”

“你有好眼力，他们全是俄国退职军官、文化人，不是刑事犯。只要他们的头脑工作，不要他们做强暴的事。你将来会和他们相处好的。

“麻醉剂专卖权已经许给一个日韩合组的大公司，在哈尔滨的代理人是一个名叫竹内的律师。这公司在全满洲有独占专营鸦片、海洛因、吗啡和可卡因商店的权利；它独有准许中国人开设烟馆的权利。我听说这公司为这独占权曾经缴给军事机关好几百万元。一直到现在本部都必须保障他们的利益。

“还有，日本宪兵……想要插手。他们分头接洽麻醉品贩卖者和鸦片烟馆主，承认保护他们。本市警察不敢关闭他们的铺子，当他们发现他们有军官保护的时候。这是我们的一种麻烦，我们的职务是使由独占权得到的款项归入日本军事机关，不归入宪兵军官的私人腰包。你必须对你的特务员指示这一点。

“说到赌博，中东路沿线各城市，除了哈尔滨，赌博专利权已经卖给一个高丽和亚美尼亚合组的公司，叫做金阿巴利公司（Kim – Ambarian&Co.）。这公司有权在铁路沿线任何地方开设二十个赌馆。哈尔滨只有一个赌馆，在我们的管理之下，所得利益将要划分给我们和与我们友善的几个俄国团体。即使在哈尔滨我们也必须保障那独占公司的利益。

“中东路沿线的娼妓、艺妓和舞女的独占专营权已经卖给一个日本公司，在哈尔滨的代理人是一个叫做木良田的公证人。只有他们有权从东京、大阪和其他都市输入日本女子。宪兵军官也想在这独占权之外自行经营这种事业，我们又须建立一种取缔制度，制止独占公司以外的人包买包卖日本女子。

“其次要谈保险免税输送货物入中国的专营独占权，这种权力已经卖给满铁会社，在哈尔滨的代理人是国际联运会社。只有他们有权输送货物到中国，不用缴纳关税和运费。要完全统制这事体是更加困难的。在那些边界下有几个军官借着保护私贩营私肥己。我们必须很机警敏捷，凡是勾结任何军官做这种事的任何人都要加以逮捕。

“现在说到苏联侨民，在满洲有好几千，我们必须使他们不得安宁。他们都是些讨厌的坏胚子，不消灭掉也得用搜查、迫害、拘捕使他们走开。”

“倘若没有原因我们就拘捕他们，我们会惹出大麻烦的吧。”我说。

“没有原因？……一个特务长必须常常知道怎样找出原因。例如……每次搜查苏联侨民的家宅你都要有一个理由，而且倘若你没有理由，你总得想出一个来呀。我已经告诉你，日本特务机关第二部，就是你住着的那里，已经奉命供给各种材料，譬如共产党宣传小册子，从俄国、美国或任何外国寄来的各种信件（都盖着各该国的邮戳），以及各种伪造的文件，有了这些东西你随时随地都可施行任何逮捕。他也可以得到各种犯罪的中文的共产党宣传文书。我们必不可使中国人安宁，尤其是那些有钱的。日本是穷的，日本在满洲的军队每天花费几百万。我们的任务是竭尽全力减轻这种负担。有好几千富足的中国人，他们的钱都是做土匪、做将军、做贪官之类积起来的。我们必须取得他们的不义之财才算公道。同样的道理适合于那些用各种方法骗人致富的犹太人们，现在是轮到他们被敲诈出油的时候了。

“下令给你的特务员们，叫他们调查和报告哪些犹太人是最富的。找出他们的银行存款簿，考察他们自己的产业是否要出卖。一切报告一定要正确，否则交来错误情报的人就该倒霉。我有像你这样的别的三个特务员，我用他们的报告来对戡别的报告；当我发现有什么不真确的时候，那处罚是很严重的。

“等到这种工作的组织达到我的要求的时候，我们就要开始我们的运动。倘若做得好，那么大家都好；倘若不好，那就糟糕。我不容许一点错误，一点含糊。记住！”

“我不会忘记。”

“你要在什么地方会见你的助手们？”

“我约他们在正午一点钟的时候在特务机关第二部指定给我的房间会见他们。”

“很好！关于保护那些独占权，以及怎样尽力对付那些苏联侨民，你必须确切指示他们。

“留心听着。明天晚上九点钟有两个名字叫做克鲁庞尼和萨比洛的俄国人要到大马沟车站上车。下命令给你的一个特务员去杀掉他俩。他们对于日本人玩双重把戏，这就该死。现在你去吧。”

我去会我的五个助手，命令他们保护各种独占权，然后我问他们谁知道克鲁庇尼或萨比洛。

我的第二号，他的名字是巴士图京（虽然他不知道我知道他），回答说他知道他们，并且说道萨比洛是波兰人，不是俄国人。

“不管这些，我需要的是要杀掉那两个双方讨好的东西，当他们明晚到大马沟去搭车的时候。你知道他们，就由你去干我说的事。选派完全适合于这种工作的几个人。”

克鲁庇尼被杀掉，但是萨比洛毫无损伤地逃跑了。

第六章

官办独占卖淫业

日本女人的一生从摇篮到坟墓都是奴隶。她是专为服侍男人而生的：她的父亲、她的丈夫、她的儿子——或工厂主或娼寮主。日本女人的教科书的第一课的第一句是：

“男人高如天，女人低如地。”

因为相信他是高如天的这种妄自尊大的教条，日本男人就把他的女人当做奴婢和机器了。这教条是适用于各阶级的，无论贫富贵贱，平民和贵族都一律如此。要说例外，只有少数曾经习得西洋文明仪表的男人才在外国人面前待他的妻有些礼貌（多半出于装体面而不是诚意尊重）。日本贵族太太往往对男仆先鞠躬，因为她知道她和他的地位虽有贵贱之分，而她究竟是“低如地”，他是“高如天”的。

日本的丈夫，不论属于什么阶级，都不把他的妻当做平等的同伴，纵然她的教养高过他十倍。

在哈尔滨的我的住室隔壁，住着一对日本的青年夫妇，田上喜之卫和千须子。田上是满洲国财政部的“顾问”（在满洲的日本人没有称为职员的，全是“顾问”），精神身体都很弱小，英语的程度也很低。千须子是一个海军大将的女儿，东京高等学校的毕业生，擅长英语、法语和德语，而且很会弹钢琴、画图，以至打网球和高尔夫球。一句话，一个高雅、多才的女人，而且很好看。

可是田上不但漠视她，而且把她看做不是东西。他很少和她说话，从来没有一句和蔼腔调。并不用仆役，她操作一切家务，洗濯、烹饪，从早忙到晚——都是伺候那丈夫。当他从公事房回来的时候，她要替他脱鞋、洗脚、穿拖鞋。然后她就要摆食桌，而且当他独自坐着吃饭的时候，她往来于厨房之中，伺候着他。

当他吃完之后，她才坐在桌子角前面，谦卑地吃着残余的东西。

差不多每夜晚餐之后，田上都要去茶室之类的地方和艺妓玩到半夜，到早晨两三点钟他才回来。疲倦而且瞌睡的千须子必须起来迎接他，因为日本女人是不能在家主未睡之前就寝的。

田上的年轻美貌的妻在各方面都优越过他十倍，这在田上作何感想呢？他不是“高如天”，而她不是“低如地”么？

阿科洛教授（Professor T. O'conroy），担任东京军官学校和其他大学的功课，在日本过了大半生，娶了一个日本的贵族妇人，他熟悉日本的言语和风俗。

在他的名著《日本的威胁》（*The Menace of Japan*）里面，关于日本的妇女问题他写了如下的意见：

“虽然妻的贞操律是这样严厉，对于妇女犯罪毫不宽容，而男性却完全随意放荡。其实妻也期待着像他似的。

“倘若日本妇人是纯粹原始的，这种不道德的情形或者不成问题；但我曾经说她在本质上是比普通男子更为聪明得多的。从西方人看来，她是屈服于女性的嫉嫉和侮辱的。她同样是优雅精细的，不过她的自觉卑下的意识迫使她不敢抗议。她的悲剧是在一切日本男子所同具的那种粗俗。

“日本男子的唯我主义是无限制的，无论在逻辑上或推理上。他可以把艺妓或娼妓带到他的妻为他的各种安乐服役着的家里来，他要她伺候他的宾客。他甚至可以命令她替他自己和他临时的情妇铺床叠被，要他的妻站在那里听候呼唤和指使。她被叫去再烫一瓶米酒来，而她分明知道那唯一目的是要重新振起她的男人的淫欲。

“不服从可以酿成离弃。她的丈夫有权叫她走就抛弃了她；虽然离弃照例是要给她一个亲笔字据的。对于妇女没有比这更大的侮辱了。

“我永远不能忘记我初次亲见一个新嫁娘站在寝室门外候丈夫召唤的光景。她才十六岁，结婚刚一星期，那丈夫就带一个娼妓回家来。他命令他的年轻的妻铺床叠被而且在门外伺候。当我看见她的时候，她正跪在稻草褥上，前后摇摆着。她紧紧地握着手掌，每一向前倾的时候，她的头就在地板上磕三下。我觉得这似乎是她要把头脑里的思想打出去。忽然，晶莹的眼泪奔流在她的面颊上。她用力咬紧嘴唇，以至口角流血。她抓起她的女袍的衣角，发狂地撕扯它。然后她把它塞进抖颤的嘴里去阻住悲愤的叫喊……我的出现显然引起了那丈夫的憎恶，所以有半年之久我避免再有所见。由于命运的捉弄，又遇见了同样的事。这回他正在安静地读着一张报纸，看见了我，照例鞠躬之后，她站起跑来，微笑着迎接我。……她已经学会她的义务是服从了。”

早稻田大学的喜多泽教授在一九三四年六月的《日本太晤士》上写道：“一看日本妇孺在男性权威之前可怜无助的光景，就可以想象到异种民族数百万妇孺的遭遇，那是更其可怕的。高丽和台湾的年轻女子是绝对不堪的。”

在台湾，叛乱的主要原因是日本警察绑架台湾年轻女子和勒索她们的工资。倘若一个女子拒绝承认警察的优先权利，她就要被锁在监牢里或逼缴重大罚款。

在高丽，日本人设立了一些专门买卖女性肉体的股份公司，还有许多管束妓女的惨酷情形。倘若没有接客，那些女子是要遭毒打或通夜不准睡觉的。那些女子对于妓寮主的债务永远缠在她的颈上。卖给她的衣服的价格的利息高到百分之四百至一千，而且还要取回来一再转卖给别的女子。日本人把娼妓制度介绍到高丽，并且迫使高丽妇女处于奴隶地位。

果然不出所料，一九三二年四月初间就到了千百日本女子，由独占公司从日本输入满洲，来供给妓院、茶室、酒馆、舞厅，以及饭店。在日本人看来，这种贩卖妇女的行业并非不体面或不光荣，所以把这行业介绍到满洲是毫不以为羞耻的。

这行业是被认为和其他职业同样正当的；日本的大公司和银行也就大量投资在不名誉的商业上。

在哈尔滨，独占专营输入日本女子的公司就开设在托尔戈伐亚街上，其中有十一个公事房，一个总经理、一个副经理、一个秘书和二十个雇员。

这些公事房是每个人都可以进去接洽的，并不论人种或国籍，要去定购一百个女子或一个都可以。可以定购去开“马希牙伊”[1]；或者招待普通人的“发洛雅”；或者咖啡馆、酒馆之类的艺妓。

独占公司的门口是由日本宪兵守卫着的。一个做大

[1] 高等妓院——译者。

买卖的顾客来了，就由一个衣冠楚楚的秘书接引到一间半欧式陈设的漂亮房间里。然后他又被导入另一个大房间里，翻看大本的照相册。每个照片旁边都有一段描写，譬如是否处女、高矮肥瘦、教育程度、歌舞技艺之类。选择一定，交易开始，然后立一个包用价格、包用时期的合同。成功之后，顾客预付包银的百分之二十五。

半月或二十天之后顾客就接到一个银行的通知：姑娘都到了，请准备付给货价的百分之七十五。

于是娼主先生到银行交清货价，取得收据，把收据交到独占公司，公司就派一个职员陪同他到一个储存女子的日本旅馆里当面交货。

从此以后，那些女子就成为合同执掌者的绝对私有财产，他可以随意处置她们，认为怎样合适就怎样剥削她们。

大多数合同都是以五年为期的。当合同期满的时候，有些女子就回家去结婚，尽力替天皇生养孩子。

她们常常这样说："十八个月以后我的合同满了，我要回乡去和我的父母替我选定了的男人结婚。"

保护这些不幸的妇女的法律是没有的，她们完全在茶室主和妓院主之类的掌握之中。这些处所名目不同，实际是一样的。

倘若有一个女子逃跑了，这是常有的事，警察就把搜索她当做应尽职务，好像她是一个越狱的囚犯似的。抓住了，她被押送给她的主人，主人总不免严厉处罚，以儆效尤而禁再犯。

照哈尔滨的惯例，每当一家收到一批新来的女子的时候，都要把她们打扮起来，装在扎彩的汽车上，招摇过市。车上有大幅广告，写着这些新来者的种种优点，自然，写得最明显的是妓院的地址。

日本娼主和龟婆的兽性是名震远东的。在他们掌握中的女子是当做奴隶、走肉，专供践踏、辱骂、毒打以至杀害的。

《日本纪事周刊》（*Japan Weekly Chronicle*）有一次偶然评论到日本娼妓输入满洲的事："这一种事情可以说是能够不做就尽可能的不做吧，因为它在中国人的眼中并不增进他们对于日本的尊重。但是它似乎毫不扰动当局者们，而且急于想从新征服地获得利益的企业家们以为输入女人到那荒野之地比输入男人更能赚钱。"

日本宪兵对于从罪恶中赚钱的机会是绝不放过的，也立刻在娼寮、烟馆和赌局的方面很活跃起来了。许多妓馆、俱乐部和茶室就开始分设城区各处，并没有得到独占公司的许可。公司的首脑向高级军事当局提出抗议，这些当局又把那控斥转达给哈尔滨当局。

我的特务员开始送来反对那些染指这类事业的宪兵军官的报告，而那长官也承认这是一个难题。他不知道怎样办。倘若他封闭那些非独占的处所么，宪兵军官是能够反抗敢于侵犯他们自己的任何权威的，而且他从来不想公开对抗那些权力无边的宪兵的。

把这件事研究了几天之后，他终于决定叫我命令影派他的土匪去奇袭那些非独占俱乐部、茶室和烟馆，抢掠各种值钱的东西，而且倘若那些业主实行抵抗……

杀掉他们。

我和影讨论这件事，我们决定首先袭击最近开设在马家沟的一个茶室俱乐部。我们知道这俱乐部是宪兵包办的，其中有四十个日本女子，有赌场，有烟馆和麻醉剂售卖处。

影派二十个人去袭击那地方，叫他们要什么拿什么，放火烧掉那俱乐部。

然而，宪兵总是听见什么风声了吧，已经在俱乐部周围布置了警卫。那些土匪毫不知情，将要前进到目的地的时候，迎面扫来一阵机关枪子弹，结果打死三个，打伤七个。其余的非逃跑不可了。

影勃然大怒，发誓要复仇。两夜之后，一股土匪袭入宪兵所包办的两个烟馆和一个赌馆，杀死三个高丽人，给了每个吸客和赌客一顿好打，抢去了一切值钱的东西。一夜之后，同样手续又执行于卡萨乞卡亚街的一个烟馆里，杀死了两个企图抵抗的吸客、两个高丽馆主。

对于这一次宣战，那些暴怒的宪兵不久就反攻。三天之后，独占公司的几个妓院、赌馆和烟馆被宪兵搜查，捕去了五十多个顾客，说是他们全是共产党。独占公司吃惊于局势的严重。这样情形是不得了的；解决是必要的，于是设法调停。

独占公司和宪兵军官开了一个会。和议成功。公司承认宪兵可以经办五个妓院、五个烟馆、一个赌馆和一个吗啡商店。这不算多，因为在一九三六年间单是哈尔滨就有一百十二个妓院，五十六个烟馆和一百九十四个吗啡商店。在黑龙江省和吉林省共有五百五十个合法妓院，七万个日本妓女。

毒品和堕落

由日本独占公司承办的流毒满洲全境的淫业固然可怕，而日本的麻醉剂独占事业尤其穷凶极恶。

日本侵占满洲才几个月之后，全个满洲，尤其是大城市，就传遍了这种恶嗜好。在沈阳、在哈尔滨、在吉林等处，没有一条街上看不见烟馆或麻醉剂商店的。在许多街上，日本和高丽的药品商人建立了一种很简便而且有效的办法。吗啡、可卡因或海洛因的嗜好者不必进那商店去，倘若他是穷的。他只要敲敲门，门上的圆洞开了，就从圆洞里伸进捏着两角钱的赤膊去。店主接了钱，然后在那牺牲者的手臂上注射一针。

国联禁毒委员会的一篇报告，曾经比较日军占据满洲之前和之后的情况，描绘出日本怎样按照计划毒化满洲的可怕情景。

据该委员会埃及代表巴沙（Russell Pasha）最近表示，

许多日本大企业家都把贩毒赚取厚利当做副业，而许多小企业家更其如此，这并不是秘密的事。日本把这种危害活动的责任都转嫁于“满洲国”，因此日本的贩毒“连环”更加肆无忌惮。

日本人到哈尔滨之后，有几万俄国人做了麻醉剂的牺牲品，有几千男女青年染上了毒瘾，每天都有几个毒发而死的尸体发现在街上。领事团对中国的、俄国的团体所提出的抗议都充耳不闻。日本毒贩侵入了俄国的小学和中学。日本毒品店主悬赏鼓励那些年轻的瘾客引诱他的同伴。

日本的特务员下乡去劝导农民，结果许多田地都不种大豆而种罂粟了。游历过满洲铁道干线的旅客并看不见这么多罂粟田，但是在旅客的眼界之外确有无数田亩是栽种着这种东西的。鸦片的产量已经增高到这程度：现在日本人每年从满洲输入中国的数量价值数百万元。尽其可能的赶快毒化征服地人民确是日本的固定“国策”，因为一上了瘾就立刻丧失一切“抗日”思想。

在哈尔滨的乌卡次科瓦亚街上就开设着专运鸦片入中国的日本公司，公司用“日军给养”的牌号把鸦片输送到天津、北平、汉口各处。这公司经理是一个日本陆军军官，也是公司的主要雇员；雇员全都穿着普通服装，使人误认为寻常商人。

对华鸦片输入每天都在“日军给养”的伪装之下运送着，寄交驻有日军的各地日军司令部，如天津、北平、汉口等处。没有日军司令部的地方，这种货件就寄交日本领事馆。日本军舰沿着中国海岸把鸦片输送到通商大埠，再由日本炮舰把它运入中国内河以至腹地。

大连、沈阳、哈尔滨、吉林、天津和其他大城市都有日本人制造吗啡、海洛因、可卡因，以及其他毒品的工厂，产量每年约值数万万元。

日内瓦和世界其他各处正在努力防止麻醉剂的流毒，但是很少有显著成绩的希望，在日本的章鱼没有被毁灭以前。无疑的，日本的既定“国策”是毒化全世界。日本越能够用这些摧残身体和灵魂的药品毒害别国人民，它征服他们的事业就越容易。这一套逻辑是驳不倒的。只有“太阳女神的子孙”才能想得出而且做得到。

在一九三四年二月廿四号的《周末晚邮》（*The Saturday Post*）上，斯诺叙述满洲毒品贸易的现状如下：

“最近孚勒（Stuart Fuller）代表罗斯福总统在国联鸦片委员会中提出的反对‘满洲国’鸦片专卖的抗议书，所申述的毒品危害情形是比较温和的。单哈尔滨一处，就有二百多个官许出卖鸦片、吗啡、海洛因的商店。‘这些商店最大多数是由日本人和高丽人经营的，’一个外国领事对我说，‘但是任何人都能买，毫无限制。’为试验他的话我请一个中国人带我到附近一家毒品店。我看见了价值二十个铜元一撮的海洛因……

“在理论上主张禁绝，而在实际上由独占公司提倡生产和消费。据最可靠的估计，在满洲的日本人和高丽人的百分之二十以上都是和毒品贸易有关系的。”

用子弹、炸弹和炮弹杀人是费钱的；用毒品杀人而又赚钱，不但是好买卖，而且也是巧妙的战略。

日本人就这样善于推理。

因此，日本毫无限制地把毒品输入中国；也大量地输入南北美洲、菲律宾、马来半岛、爪哇、婆罗洲、澳洲和新西兰。

单就为这理由，不为别的，也必须普遍实行抵制日货，使它停止这种最恶毒的交易。这祸害是最可惊的蔓延着了的。

别的一切国家的警察对于毒品小贩是怎样处置的呢？拘捕他，按律治罪。

在世界上以贩毒为国策的日本应该怎样加以惩治呢？

国际联盟开了许多联席会和委员会，得到什么成功了呢？没有。没有，在日本用谎话和伪善掩护着逍遥法外之时，什么也不会有。

日本一面把腐化别国，毒害别国当做一种政策、一种行业，同时却禁止本国人民习用麻醉剂和聚赌。在满洲，一个日本人被发现在赌馆是必然要被驱逐回国的。沾染上烟瘾或毒瘾的日本人是要被判处五年徒刑的。

日军司令部发给在满全体日军的一本小册子里有如下的条文：

“第十五条：像日本人这样优越的人种是绝不该习用麻醉剂的。只有劣等人种、颓废民族，如中国人、欧洲人、印度人之类，才习用这种东西。这就是他们命该做我们的奴隶而终归消灭的理由。

“犯了习用麻醉剂罪的日本军人就不配穿着我大日

本皇军的制服。”

然而，像别的一切事情一样，都有例外。不论怎样严刑峻罚，在满洲的许多日本军官已经堕落为习用麻醉剂的牺牲品了，陷落在他们自己设置的陷阱里。

那情形是这样严重，以至第一任“驻满全权大使”兼驻满日军总司令官武藤大将大吃一惊，于一九三三年五月三号密令各军长官注意这种事实：“据报多数军官常赴赌场以至烟馆，彼等已变为麻醉剂嗜好者。本总司令合即唤起尔等注意，并令特务机关控制军官私生活……将此种有辱皇军荣誉事情立即呈本总司令，违犯者应即遣送回国。”

武藤大将在他的阶级之内几乎是孤立的，他是一个真正的君子。他的善良的性格使他反对劫掠残害满洲人民的政策；他尽力制止军阀主义的巨蟹，减轻它的横行的灾害。他大胆向东京提出抗议，叙述日军在满洲压迫中国人民所犯的种种罪恶，要求停止移殖日本刑事犯到满洲来，要求裁判意兵的滥用权力。他尽其所能地缓和满洲人民的苦痛，而且制止危害他们的种种暴举。凭着他的良心，他孤身奋斗，一直到他相信他在荒野里呐喊，东京并无回声。灰心失望之后，他写了一个奏章给日本天皇，说明他希望改变对满政策和控制军事权力；最后是替满洲的中国人民求情，这些人民的唯一错处是他们已经被征服。然后他于一九三三年七月二十七号自杀了。

常常恐怕这实情会伤害他们，日本人声明武藤大将是患“心脏麻痹”死的，而且这声明欺骗了世界的大部分人。

第七章

日军害人反害己

一九三二年四月九号，长官要我去见他。他已经得到情报，苏联公司要运输巨量大豆到海参崴去。

“我们必须阻止苏联的这种商业。我命令你转令我们的土匪去到穆棱附近炸毁那运货列车。”

我把这命令传达给我们的匪头影；他说他就下令给驻在穆棱的他的部队，要我差人送五十磅爆力顶大的炸药去交给那里的他的助手。我把这差使派给我的第二号。

四月十一号下午五点钟，影打电话来说他必须立刻见我。我就去看他。

“你是怎么办的呀？”他问我，“说定你的助手带五十磅炸药去的那一列车已经到了穆棱，但是我刚才得到一个电报，说他并不在车上。”

我跑去报告那长官，他就立刻通知宪兵队，发了十多个电报到沿线各站去讯问，十多个回电都说没有人看见我的第二号。

十二号上午五点钟，我和宪兵队武藤大尉，和一个宪兵队特务员同坐飞机去调查，在路上停了两次，在阿城和苇河。午后两点钟我们到了穆棱。无论哪里都没有我的第二号或炸药的影子。他和它都失踪了。我打电话告诉长官这种情形，他回电要我们在穆棱等待。

下午六点钟，我们正在讨论怎样办法的时候，一个宪兵下级军官来通知我们，车站站长接到一个电报：在穆棱以西一百公里的横道河子附近，有一列日本兵车在五点半钟时候被炸毁，死伤了好几百人。

我们直奔飞机场，告诉司机飞到横道河子去。七点钟的时候，我们到了那里。一辆自动车把我们载到灾变的地方。啊呀，一片惨淡的景象迎接了我们。架在一道深谷上的小铁桥是正当机关车通过的时候被炸毁的。车头把七辆满载日军的客车拖下山谷里面，别的十一辆却倾倒在山坡上，正在那里燃烧。

在这灾场我们看见的横道河子的日军少佐司令，二十多个铁路警察侦缉员，以及一大批中国工人正在忙着搬运被烧坏的牺牲者们。

我们对少佐说明来意，他冷冷地答道先做救护工作，随后再调查。

几分钟之后到了一列救护车。一直到半夜两点钟，烧得非常可怕的牺牲者的最后一个才从那残破的车辆里拉出来。山坡上躺着一百九十二个死者。三百七十四个伤者之中六十个是很严重的；两个司机、一个俄国人和一个波兰人，也受了伤。

列车载着伤兵开回哈尔滨去了。按照日本习惯，日本死者都被焚化成灰，把灰装在小罐子里，运回日本去交给他们的家属。能够认出面目的尸体是各各分开焚化的；认不出的就成堆焚化，然后照数把灰分成若干份，每份装入一个罐子。

早晨的时候又到了列车，载着铁路职员，一队日本兵和大批日本的、俄国的和中国的调查员，警察官和侦探。

要找出爆炸的出发点是并不困难的。在跨立于溪沟之上支持着铁轨的一条钢铁横梁之下，一个基石已经被移开了，炸药准是安置在一个因此造成的洞里的。一条完好的电线出现在离桥不远的地方，它通到离桥头二百多码的一个丛林里面，接在一只干电池上。

当我考察着这些情形的时候，我本能地回想到一九二八年六月四号日本曾经安放过这种炸药在皇姑屯的铁桥下面，完结了张作霖的事业，杀害了他的最亲密的朋友吴俊升。

倘若看着日本的牺牲者的光景有一种怜悯甚至慈悲的意识袭入我的灵魂，那么想到张作霖的死就恢复了我的心的平静。满洲的中国人民是我自己的同国人已经二十年了；我一天比一天更爱他们，我尊敬他们的坚忍的性质。现在我看着他们被压迫、被谋杀、被酷刑咧。

我还能够运用我的理智反对日本人的残暴狡诈。没有妥协，没有宽容，没有怜悯，总之，对于这些凶手的苦痛要毫不示弱。

明白了这列车怎样被炸的情形之后，他们现在要搜索这事件的负责人。警察侦缉队、日本宪兵、护路巡警、侦探开始在横道区内及路线两旁的一切乡村按户搜查。

四月十三号下午一点钟捕到了四百多个中国人、俄国人和苏联人。然而，从他们得不到一点消息。

下午两点钟的时候，一个日本宪兵大佐从齐齐哈尔坐飞机来到了，负着查究的全部责任。称他为畜生么，那是辱没动物界的。这黄色包裹的两条腿的怪物简直没有一丝人气。他是一个用中国姓名的日本人；因为，在满洲国和蒙古有千百个日本军官都用中国姓名，穿着满洲国的或蒙古的陆军制服。和其他一切事情一样，动机总不过是欺骗。报纸上常常记载着蒙古的或满洲国的商官大员和日本会议了，或对日本表示同情了，其实这些高官大员往往是顶着中国姓名的日本人。

我一看见他立刻就有充分理由私称他为托尔克马达[1]第二，他的形体正配合着他的低劣、丑怪的灵魂。可笑的矮小、弯腿，面目可憎，他的牙齿成为四十五度的三角形，凸现于不断地舐着的嘴唇之间。

他懂得几句俄国话，说着极坏之英语。

他说的第一件事是要把放炸弹的人寻出来，即使杀尽灾场周围的全体民众也在所不惜。

[1] Torquemada（1420—1498），西班牙的宗教审判总长，曾残杀数万异教徒。

和我同坐飞机来的武藤大尉对我说，这大佐是一个卑劣的野杂种，武藤自己愿意回哈尔滨去。因为我也是同样意见，我们就决定打电报给那长官。回电是叫我仍然停留在那里。

被捕的四百个嫌疑犯全都锁闭在一个大货仓里，连加以区别的意思都没有。中国的、俄国的乞丐，以及绅士，穷的富的，男的女的，全都像一群羊似的关着。

至少有一百个日本兵带着步枪和机关枪守卫这货仓。

大约三点半钟的时候托尔克马达第二叫我立刻就到铁道车站上，他已经在那里占据两个房间作为他的办公室和住室。

大佐和两个军官坐在一张大桌子旁边，我一进去他就说：

“我听说你是哈尔滨司令部的翻译[1]，而且意大利人。很好很好……我不喜欢俄国人……我恨他们……我恨全体俄国人，白的、红的或黑的，无论什么颜色的。他们全是无价值的人……正和中国人一样……他们只

[1] 因为我不能说明我的官位，武藤大尉曾经介绍说我是翻译。

会在暗中谋杀……他们不出来公开战斗。猪……他们全是猪……四万万五千万中国人……一万万六千万俄国人……你知道他们总数是多少么？……”

我沉默着。

“你不回答？……好，我告诉你吧……六万万一千万个猪……猪！……猪！！现在我们去审问吧。”

我们四个到了关着四百囚犯的仓库前面。二十个宪兵护卫着我们，打开大门，用他们的枪托冲打那些惊恐失措的人们，人们误认他们已经被释放而且要跑出来咧。

从人丛中扫清一片空地，摆上一张桌子和几把椅子，大佐和他的两个助手坐下。日本的审判官现在开庭了。托尔克马达第二坐在首席上，一道武装着步枪和机关枪的宪兵墙面对着囚徒们。有一个宪兵把一束俄文的和日文的文件放在桌子上。托尔克马达第二检出其中的一件，随便看看就交给我。

“叫他来。”他说。

我读了那名字，叫道：费多伐西里维奇·阿斯台金。

一个典型的俄国工人，大约四十五岁，走上前来，宪兵们让路给他。

大佐又对我说：

“这家伙是看守那铁桥一带的查道夫。他是苏联人，当然，共产党，因为他是查道夫，他必定知道谁放炸药在铁桥下面。告诉他必须从实说出……否则我要枪毙他。”

我把大佐的话翻译给阿斯台金。

“我不知道，这就是我能说的。倘若他们要杀我，让他们杀吧。”

我把这回答翻译给托尔克马达第二之后，他像一只猿猴似的跳起来：

“啊！这这这这这这这样？你不回答……你不怕死？……大约你以为我们不能杀你……我要你看……”

说着，不如说是怪叫着，他就把他的手枪拔出来，用枪口敲着阿斯台金的前额。然后回头对我说：

“再问他一遍，警告他，倘若不说我就打死他。”

我执行命令，但是那工人不动，也不怕，沉静地注视着我的眼睛，说道：

“我不知道。”

审判官看着我，咆哮了：

“他说什么？”

我迟疑，但是必须翻译：

“他说他不知道。”

最后一个字才出了我的嘴，一声枪响就使群众同声绝叫。那工人一声不响地倒下，他的脸上全是鲜血。男人们凶骂，女人们号哭，这地方使人都癫狂了。一个强壮高大的中国人不能抑制他的愤怒，冲破了军警的防线，直奔托尔克马达第二，他就对他连放了三枪。

“你告诉他们，”他咆哮着，“要是他们不安静下来，我就要对他们开机关枪。”

我爬到桌面上，迷惘地乱嚷而且作手势之后，设法使群众静下一些，把托尔克马达的恐吓的命令翻译给他们。

他们又全都静默着。

两个日本兵拉起那两个死人的脚，把他们拖出去了。

托尔克马达第二继续审问。他带着几百准备屠杀无力自卫的无辜者的武装兵士，十分从容，他必定很得意了吧。

五十多个中国的和俄国的男人女人被审问和恐吓了。谁也不知道使那兵车倾覆的爆炸的任何事情，更不知道安放炸药的人。只有一个中国小孩说出一点很含糊的消息：发生事变的那天早上，他曾经看见两个中国人和一个俄国人躺在离桥不远的地方。

一个一个地审问之后，这些嫌疑见证就被命站在左边或右边，在我们和群众之间的空场上。

晚间十点钟，托尔克马达第二宣布今夜审判告终。没有问过的仍然关闭在那里；站在右边的释放出去；站在左边的都拉出去枪毙。被枪毙者之中有四个女人：三个俄国的和一个中国的。

这时，因为两百多日本兵和宪兵在这些乡镇里撒野了，兽性的胡闹散播着恐怖在全区各处。没有一家是得以幸免的。各样可以想象得到的暴行都做出来了。好几百中国人俄国人被屠杀了，他们的家室被搜劫而且放火了；几十个年轻女子被强奸，有几个还不到十岁，死了五个。酒馆被袭击，店主被杀死，沉醉的日本兵蹒跚在乡镇之间，比他们清醒的时候更加凶横。

在车站周围，就是托尔克马达的临时办公室和住室的所在地，我们遇见一群酒醉的日本兵拖着一些中国的和俄国的女子，其中有几个是完全裸体的。大佐看着这光景微笑，对我说道："我相信此地以后不再会有列车倾覆了。只有恐怖才能教训中国人和俄国人。"

当我们来到那临时办公处门口的时候，大佐邀我进去和他吃晚餐。不愿引起他的疑心，我和他们进去了。

餐桌上有五个人：托尔克马达第二和陪他来的两个宪兵军官，武藤大尉和我自己。

肴馔很丰富，还有各种酒水，全是打劫来的。大佐大吃大喝，而喝的比吃的更多。

醉了，他和他的同伴忘记了学来的外国礼节，返本还原。他们离开桌椅，坐在地板上，脱掉衣服，开始痛饮。他们都说日本话；有时互相看看，爆发了哗啦的大笑。

忽然，大佐大为高兴，对着一个伺候的士兵说了几句日本话，兵士立刻出门去了。

然后一切眼睛都转向着我，他们全都比以前笑得更厉害。

“喝呀！”大佐叫喊，“喝呀！我听说意大利人不喜欢水，他们只喝酒……在酒里洗澡……是吗？”

我不说话。

“你为什么不说话？你得陪伴日本军官是光荣的事……这应该使你骄傲而且快活……不应该这样郁郁不乐。怎么回事呢？”

然后他又用日本话对他的同伴说了几句，他们就都笑起来，笑我，看看又大笑。

一个军官爬开了，爬去睡觉，张着嘴，露出一排丑怪的牙齿，不久就打鼾得像一只肥猪似的。

托尔克马达第二还在喝酒。

“你愿做日本军官么？你愿付什么代价？立刻回答我！”他使劲怪叫，那神气更加可恶了。我决意不回答他。他胡说八道：

“你应该交出你的性命……但是即令如此你也不能做日本军官。在几年之内你可以变为一个美国军官，或英国的、法国的，或俄国的……但是你绝没有变为日本军官的荣耀。做一个日本军官是人生最大光荣。

“我记得当我穿着制服走在华盛顿街上的时候……

每个人都艳羡地看着我…… 因为他们知道即使他们有巨大财富，华丽邸宅，五十层的楼，他们也绝不配享日本军官的荣誉。

“日本军队是世界上最完备、最光荣、最伟大的组织。没有打过一次败仗的唯一军队，曾经打倒了世界上最大的两个帝国——中国和俄国。

“现在我们又要打了。在几年之内日本军队就要征服中国、俄国、美国、英国和法国。整个太平洋，从北极到南极，都必然是日本的。我们光荣的陆军将要征服一切土地，我们无敌的海军将要统制一切海洋。美国关门拒绝我们；但是我们要进去，进去做征服者和主人。那时他们就会喜欢替我们擦皮鞋。首先我们必须征服中国和俄国；然后我们才开始我们的胜利的进军，我们要把我们的国旗插在太平洋的每个岸上。现在世界还有不知道日本军队能做什么和要做什么的咧。”

他笑了又喝，越喝越胡说八道；全不觉得他是在吐露他的野心的长官教训他的言语，全不知道他是在暴露日本武士道的秘密。狂妄无知，而又可笑，可以称为第一。

“你知道几个日本师团就可以打毁一九一四年的德国陆军么？”

“我没有想过。”这使他炸了，发出一长串议论：

“你没有想过？好……我告诉你。我们都计算出来了。十五个日本师团就可以打败德国军队：这是东京军官学校校长告诉我们的，也就是日本参谋部告诉我们的。一个日本师团等于十五个英国师团、十个法国师团、六个德国师团。

“日本海军可以打败世界各国全联合起来的海军……你笑？好……等着看吧……五年之内你就明白我现在对你说的话了……那张学良上将，当我们威吓他说要采取断然行动的时候，他要我们知道他的后盾是中国国民党、国际联盟、俄国陆军、英国的和美国的海军……这些骇着我们了么？……这些阻住我们了么？……并不，一点也不……现在我们到满洲六个月了……有什么阻力么？……国民党……这是南京政府……已经不肯抵抗……国际联盟派来一个老太婆调查团，这团的主要任务是尽量吃光许多大筵席……哈尔滨要开许多大宴会邀请李顿调察团……英美的海军是看不见的……苏联陆军……广告很多的苏联陆军……在哪里呢？……你在什么地方看见过它？不……我们也不曾遇见……我们绝不怕苏联陆军，我们正要夺取他们的铁路而且随意尽量枪毙苏联人……你看吧，他们连提出抗议的胆量都没有……这……喝一杯……再喝一杯！”

这一通冗长的伟论未完结之前，大佐派出去的日本兵已经回来了，正在立正等着咧。大佐一说完，那兵就走上前来，对他说了几句。

“梭刁斯卡？”大佐回答，而且用脚踢醒那熟睡的军官。

门开了，由一些日本兵推进来五个哭哭啼啼的俄国女子。其中的三个打扮得好像村姑，别的两个似乎是属于中上等家庭的。

托尔克马达第二笑了，咕噜着日本话，努力要站起来，但是跌落在那还在睡着的军官身上，以致后者惊醒了，用手肘撑起来，用睡眼察看那些俄国女子。

这一夜，武藤大尉和另一个军官都不很喝酒而且保持沉默……只是听着，不时用眼睛示意或用头表示可否。

女子们被迫坐在大佐和那军官旁边，托尔克马达第二尽力献殷勤……献啤酒给她们，她们都拒绝了。这使他不快活，他转面对我说道：

“你告诉她们我是大佐，对于这里的全村的每一个人我都有生杀的权力……倘若她们好好地招待我和我的军官，因为她们的缘故各样事情都会好起来的……要不然，那就太坏，太坏……你说哪一个最好？……挑选……你是我的客，你先挑……我们日本人总是谦逊待客的。”

看见我不动也不答，他继续说：

“或许你不喜欢俄国女子……你要一个中国的吗？我叫他们去找一个来给你……”

我完全耐不住了，我站起来要走，说是时间已晚，恐怕睡眠不足；我又说：“况且，我已经有儿有女，对于这种事并无兴趣。”

大佐呆呆地看着我；他不好意思反对我，却说道：“当我许可你的时候你才能走。”

“无论你许可不许可我都要走，”我冷静地说，“我的职务是司令部的翻译……关于女人的事你可以找别人。”

说完我转身就走。我还听见他问武藤大尉几句话，武藤尽力使他缓和似的。

站长许可我睡在停在旁道上的二等卧车里。

八点钟的时候，我起来了。我刚一离开车，我就遇见一个衣服褴褛的“乞丐”，他问我要几分钱。

“我有一个女人和三个孩子，两个男的和一个女的。”

我装作站着摸索钱袋的样子，低声问他：

“你们的队伍离此地多远？”

“三天路程。”

“好！两天之内赶快赶来，告诉你的长官立刻就来……几百个中国人和俄国人正被屠杀咧……我的第二号呢？”

“我们把他埋掉了。”

“你要钱用吧？”

“不。”

“祝你好运气。”

我放五分钱在他的手里，继续走路。

托尔克马达第二受挫

一直到下午两点钟托尔克马达第二还不出现。武藤大尉告诉我只有两个女子被大佐和另一军官所征服，别的三个都送回家去了。

审判继续了几天，同时是整批枪毙和各种暴行。一百多个关在货仓里的人们受了酷刑，但是毫无结果，并未发现安置炸药倾覆兵车的罪人。

替宪兵“工作”的二十多个俄国人从哈尔滨来到了。他们是从各种刑事犯之中择优选拔出来的。

这些新来者立刻就动手完成日本人曾经开始的工作。他们任意逮捕认为有钱的嫌疑者，要到交清赎款才得释放。大宗款项交给宪兵军官，零星勒索就归这些俄国助手。

一个日本宪兵大尉坦然告诉我，在五天之内他收到六千五百元，别的军官都按阶级均分了。托尔克马达第二已经收到二万多元。

日本宪兵界认为敲诈被征服者并无不义。同样的暴君原则通行于陆军军官之中，虽然规模较小。驻满日军军官回国的时候带着四五万元是并不稀奇的。在高丽、台湾和满洲，无数日本暴君的牺牲者都明白日本军官是怎样致富的。日本的军部并不受日本议会的约束。现在日本军官已经把勒索当做经常的行业，日本政府必须“悉听尊便”，否则连内阁首相也必然被刺杀的。

号称为日本的满洲的“冉·达克”[1]的川岛芳子[2]于一九三四年发表广播演说：“日本人，尤其是日本军官，在满洲的横行已经引起满洲各阶级人民的无穷怨恨。那原因是派到满洲去的那一班最坏的文武官员都想在最短期间发最大横财，而且用尽各种方法达到这种目的。他们榨取人民的钱财，压迫农民栽种鸦片以代替大豆。”

我一再打电报给那长官请求他允许我回哈尔滨，他一再回电：“仍留现地，并监视一切。”那长官显然不信任宪兵，他知道他们太熟了。

---

[1] Jeanne d'Arc（1412—1431），法国的女英雄。

[2] 日本著名女间谍。

十九号晚间，影和他的两个助手到横道，才一下车他们三个被认为嫌疑犯捕去了。影的一个匪徒来通知我这消息。我去见那大佐，告诉他影是日本人的朋友，在对影采取任何处置之前必须电告哈尔滨。

“我电告哈尔滨的什么人？……土肥原大佐么？……你以为土肥原是比我更大的人物么？……我是宪兵大佐，宪兵大佐比陆军将官还高咧。我要亲自审问这三个中国人，倘若他们没有满意的解释，说明他们来到横道的理由，我就要枪毙他们。在这里做主的是我，不是土肥原。”

我去找武藤大尉。

“我们必须设法营救影和他的两个助手……否则就会闹出很严重的后果。影有好几百党羽住在这附近的穆棱和横道之间……你要知道他们的消息这样灵通（那匪徒送消息给我），影的党羽必定有些布置……倘若如此……他们因为要营救他们的首领，他们就要毫不迟疑地攻击日本守备队。”

我并不想要影的匪党攻击日本守备队……我另有计划。

武藤大尉提议用军事密码打电报给司令部，说明影被宪兵捕去，请求转令释放。

半夜两点钟的时候，驻满日军总参谋长来电，命令托尔克马达第二立刻释放影和他的两个助手……不得迟延。

六小时之后，大佐召我去见他。我发现他单独坐在他的临时办公处。

他把我从头到脚看了一遍，难看地皱起眉头，说道："为什么你要打电报给参谋长？……这影是什么东西？……他替什么人做事？……你又是什么东西？……谁是你的主官？答复我的问题！……倘若不……我就要好好地收拾你一下子……就是说我要放一粒子弹在你的那脑袋里面。"

"我曾经和日本高级长官约定绝不说出我为谁做事和做什么事……要我答复你的问题是不可能的。倘若你要知道谁雇用我和我干什么，那么我只有一句话，问参谋长去。"

"现在我要说的是，你是派来这里侦察我的工作的。"

“你错了，我在铁桥未被炸之前就到穆棱了。”

“你为什么不走？”

“我的长官叫我不要走。只要我接到要我走的命令，我是喜欢的，除了不高兴和你见面而外也并无别的理由。”

而且我并不向他点头就走掉了。

真的，这可怕可恶的矮子使我厌憎使我愤怒了。我从来没有遇见过像这卑劣狠毒的畜生似的顽冥、狂妄、白痴的混蛋。在任何正当的军队中，这种东西是不许穿着它的制服的，但是在日本军队中他却是重要人物，有权生杀在他管辖之内的不幸的人民。

一直到一个村舍旁边遇见我的老“乞丐”的时候，我还在自言自语地咒骂着。当我放一个铜元在他的手里的时候，他说：

“C上校带着两千人明晚就到，现在驻在离此地不远的地方。S此刻和我在这里，今晚十一点钟他要来你的车上看你。”

S，和别的许多俄国人一样，已经加入那些发誓要杀尽能杀的每个日本人和破毁每件日本事物的游击队里面。

在全满洲，许多武装民众和退职官兵，大帮小队，正在扰乱这恨极了的敌人，使他永不得到一分钟的安宁。

一直到我离开满洲的时候，这些游击队都是铁路线以外的地区的真实主宰。占领满洲六年之后，日本人也只能统治铁道附近地区，离铁路线不过几公里以外就是游击队的势力范围。日本的飞机固然随时可以去轰炸，而步兵却不敢离铁路线太远。

因为消息被封锁，很少人知道这些日本人所谓“贼匪”的爱国精神和英雄行为，以及他们加于公敌的无数奇袭。很少人听见过：一九三五年五月间，三百二十三个游击队员被两三千日军包围在一个名叫梅突卡突的小村里（离黑龙江省城齐齐哈尔一百公里），怎样在没有食物的状况下抵抗不断攻击三日之久。日本飞机抛了一百多枚炸弹在那小村上，炸死了大多数居民。中国的防卫者只剩下六十个受伤的队员了，而且打完了最后一粒子弹。这些还能活动的队员带着刺刀、大刀和手榴弹，在半夜里爬行到日本军的宿营地里面，因为日军确信敌人已经完事，所以放心睡觉，并无警戒。

宿营地里发生了可怕的夜间混战。游击队员混在日军当中左右厮杀，同时日军一阵狂乱开枪，互相射击。这场混战结果：每个中国人都打死了；日军死一百七十五人，伤二百多人。

即令在最野蛮的民族之间，对于对方苦斗善战而死的勇士都是时常加以赞佩的，而日本人却不然。敌方越是勇敢善战，日本人就越更痛恨辱骂。对待反对他们的任何人他们都只有仇恨和侮辱，不论是怎样豪侠和英雄。除了日本人的英雄而外没有英雄，除了日本人的勇敢而外没有勇敢。

这回又发挥了日本人的这种特点。当指挥攻击的日本大佐站在战死的中国司令的尸身前面的时候，他显出武士道的真精神来了。他咒骂这已死的英雄，他侮辱他，以至用脚踢他的脸。

这样狂暴卑劣似乎是不能相信的。然而，倘若世人对于满洲所发生的事情竟至这样疏忽——因为没有像我自己似的亲见亲闻，那么现在从报纸和无线电机所传播的日军在华北、上海、南京和杭州的行动上，总可以明白了吧。

现在全世界都是这些暴行虐杀的见证，世人很可以想象到满洲深处必然发生的事故了吧，很可以明白我所举的证据，不过是有些文明国家误认为同类的这种人的凶手的和窃贼的代表人所犯的暴行丑事的万分之一而已。

第八章

报应

晚上十一点钟，S 来到停在横道站上的我的卧车里访我。S 是一个俄国退职军官，大战以后曾经加入满洲的情报处，在我指导之下服务多年。他告诉我他和 C 上校的游击队的冒险故事，与日军的多次反攻战以及将来的前途。我给 S 一个详细报告，关于横道内外的全般情势，日本兵的人数、宿营处；以及宪兵、俄国人、日军官长和司令的所在地。

凌晨两点钟 S 才离开卧车，没入黑夜之中。

四月二十二号来了一个电报，命令武藤大尉回哈尔滨。另一个电报是那长官打来的，要我留在横道准备做一个当地情况的完全报告，要我侦察，尤其是关于宪兵和他们的俄国助手的事。

那一晚九点钟的时候，当地的人心很激动。一个日本军官在一家娼寮里枪杀了一个不肯伺候他的女子。出了娼寮之后，这烂醉的武士道英雄便逢人开枪，打死了一个高丽人，伤了一个俄国女人和两个中国人。不消说，他是穿着皇军制服的日本军官，谁也不敢惹他。一路立功，他奏凯回营去了。他受罚或是受赏呢，我实在无法知道。

第二天，一九三二年四月廿三号，我派人去邀请影在当晚九点钟的时候到车里来和我吃晚餐。下午四点钟那中国“乞丐”通知我，C 上校的队伍已到达横道周围，要我晚间不可离开卧车。

九点的时候影来了，带着两个助手和四个匪徒；他叫他们都站在车子外面。

虽然我预备的酒肴颇为丰富，还是不能给他消愁解忧。他怨恨他被看待的那种方法。

“我现在算什么呢？……多年以来我都带领着一千五百多人马。……现在呢？……仅仅一千人……他们答应我要带五千多人。他们尽叫我干下流事体，给很少一点钱……叫我打劫乡村，过几天就由日本和高丽人移入村子去住，他们以为我不知道呀。他们这样愚弄我么？……他们顶好留心些！……他们说只要我对付苏联人和高丽人，借口他们是共产党，并不要我对付中国人。现在要我打中国人，也说他们是共产党。……谁听见过中国农民是共产党么？……他们的混账行业我已经干够了，有一天，我要叫他们知道……我干我的去。”

我听着，不说话。影继续说：

“你不要以为我跟你有什么过不去，我知道你不能不干的情形。我知道日本人硬强迫你，你是很不愿意干这种讨厌事的……我统统知道，连你藏在心里的事都知道……我最伤心的是你还不十分相信我……你和我可以在一起干……我还希望有一天，你和我，脱离这种该死的日本人，我们爱怎么干就怎么干去……这日本人究竟算什么东西？以身体而论他们是矮子……以心地而论他们是猩猩……你看那大佐……我一见他就要害病……

“可恶的耗子……我打算割掉他的耳朵……要他记住我。我的帮手李同，现在这里，他说倘若这大佐不赶快离开横道，他就……”

这时有一声枪响，跟着是一阵来福枪和机关枪，打断了我们的谈话。影的一个卫兵进来告诉我们全镇各处都在开火。现在是十一点十分。我注视着影，他似乎毫不在意。

“你觉得我们应该走开吗？”我问。

“为什么走？我们能干什么呢？我们只有手枪……打得过步枪和机关枪吗？……等完事再走。况且，我觉得他们不会来车上搅扰我们的……”

然后影叫站在外面的卫兵都进来。他当初说是四个，现在却进来十一个。枪声忽断忽续，简直没有停止之象，将近一点钟的时候我们听见只有偶发的单响了。而这还继续到两点半钟。四点的时候，我们出去了。

日本兵都在梦中，来不及拿起他们的枪械吧，多数都被杀在宿营地里，其余的都被俘去了。

多数军官那时都在艺妓家里，穿着和服，并无武装；想要抵抗的都被杀了，其余的被游击队带走了。

奇袭之后，游击队和他们的全部俘虏都消失在山间了。

当我们觉察了这情景的时候，逃避的日本官兵才慢慢地从他们隐藏的处所爬出来。上午七点的时候，十一个军官，最高的是大尉，和一百三十七个士兵已来到空场上。他们的武器全被游击队搬去了。宪兵队的二十三个俄国助手死了十四个，逃掉九个。总之，死了一百四十三个，被俘一百二十七个。电报才一恢复，我们就听说在袭击横道的同时，另一股游击队曾经袭击一面坡（离哈尔滨一百公里）。那里的日本军队也被迫撤退，遗弃了一百三十四个死者和八十六个俘虏。

上午十一点钟，一列特别快车载着一营日本兵到了横道，从哈尔滨起飞的十多架飞机正在翱翔着侦察那些袭击者。

第二天，四月廿四号，那长官来电命我回哈尔滨去，几小时后我就上了火车。影来送行，很不快活，因为他不能和我同行，他必须到穆棱去会他的人。火车一开动，他就感动地对我说："倘若你不曾邀我到车上吃饭，我和我的人现在都不能活着了。我永远不会忘记你。"

在哈尔滨，当我去报告我的长官的时候，他接待我的态度是颇为诚恳的。除了列车倾覆和横道被袭的事件而外，他更关心托尔克马达第二，详细讯问了从他到横道以至被俘的种种情形。至于那些日本的、俄国的和中国的牺牲者们，他却一字不提，也没有一点同情或怜悯的表示。

五月二号，我回到哈尔滨的第二天，我看见日本特务机关发表的横道事变的“官报”如下：

> 本月十二号午后五时半，苏联间谍在横道附近破坏铁路，开至穆棱之一列车因此出轨。死乘客三人，伤十人。军警当即有所捕获，并证明此乃共产党阴谋。
>
> 二十三号晚上十一时，贼匪四千余人袭击横道之日本驻军一队。我军当即加以击退，贼匪遗弃死尸三百六十七具，俘虏二百一十一人，及大批枪械弹药。
>
> 我方死兵士四人，伤十一人。
>
> 大日本特务机关长　土肥原大佐

这“官报”是这人种的典型作风。他们以为他们是优越的人种、神圣的人种，别的人种都不算什么；这牢固不变的信条不许他们承认被打或吃亏。日本人是不许承认失败的。自命不凡的狂气迷瞎了他的眼睛，使他不能看见显然的事实。他不能看见他的生理的劣点，这种劣点是达尔文的学说所证明了的。

日本的海陆军怎样呢？这是日本人绝不容许讨论的问题：日本海陆军当然能够打败全世界的海陆军……一句话，不容怀疑。这种信条是要每个日本人相信的，而且上自天皇下至煤矿夫都已经相信了。

还有什么话说呢？

天照大神的后裔的天皇的军队当然是无敌的。军队既是无敌，那么任何兵员必然也是无敌的了。

所以，写出一队日本兵被打溃是侮辱全军，以至天皇、天照大神的；写出几个中国人炸毁一列满载日军的火车是完全不可能的。于是把几个中国人改为苏联政府，把损失极度缩小，而且不说他们是士兵，这庶乎可以保持日军、天皇以至天照的光荣了。

日本的“官报”是和事实毫无关系的。在做报告或通报的时候，日本军官所着重的是高扬日军和每个穿日军服的人的武勇、无敌。因为要达到这目的，不论怎样抹杀或硬造都在所不计。越更荒唐，军事当局就越更高兴赞赏。

一看这种趋势，一个武士杀死两千个敌人的日本神话必定还要出现在各种日本的官报上的。即使木偶人都要笑话的种种夸张胡说，日本人却十分郑重地相信了，这种人是以这种铺张扬厉为日本的独有的真精神的。

我在满洲替日军做事的四年半之间，我没有见过一篇几乎每日都有的和“贼匪”交战的正确报告。日本人绝不承认败溃或受重大损失。当他们真是胜利的时候，他们也是同样夸张。倘若有谁把日军司令部发出来的官报收集起来，那是一定可以成为最可笑的“笑话大观”的。

例如，驻哈师团长多门将军所发表的松北离哈尔滨不远的一个小村松浦之役的战报便是表现日本的无聊的标本：

> 一九三二年五月十八号，日军一千二百人在松浦附近遭遇贼匪八千余人，武装齐备，皆

携有苏联制之步枪及机关枪。激战六小时之中，屡次冲锋肉搏，幸赖我军英勇绝伦，贼匪狼狈溃窜，遗下死尸一千二百一十四具，伤匪七百六十三人。我方伤三十一人，死十四人。

师团长　多门将军

据我所知道的真实情况是和这童话相反的，事实是这样的：

日军三千五百余人在松浦被大队义勇军攻击。顽强抵抗之后，日军被迫退入松花江边的一个渔村里面，坚守等待黑夜。在黑夜中日军乘渔舟过江，义勇军曾在岸上加以猛烈射击。三千五百人中，只有受伤的一千六百七十六人勉强到达对岸。六天之后，日军援队重占松浦，发现渔村和江岸之间有日军死尸九百零七具，死尸的军服全被“贼匪”脱净了。十五天之后又在江里发现日军死尸五百三十一具，其中有一个大佐联队长。

五月廿七号，驻哈日军司令部接到游击司令的一封信，通知日军士兵三百八十二人和官长十一人被俘，要求交换俘虏。

日本军队的这种特点不但表现于严重的军事事件上，也表现于他们的日常生活的最小事件上。

例如，一个日本宪兵喝住一个走在哈尔滨街上的俄国人，想要搜查他。那俄国人满肚子麦酒，抓住宪兵痛打一顿。俄国人把宪兵的手枪带起逃走了，宪兵头破臂折，倒卧在那里。警察局的副区长费多洛夫拘捕了醉汉，并且把事实写成报告呈上去。

第二天天才亮的时候，日本宪兵司令就传见费多洛夫，把他训斥到几乎要枪毙的程度。

“你竟敢说一个俄国醉汉能够解除日本宪兵武装而且加以痛打么？……你侮辱日本军队……神圣天皇。另写一个报告，小心些！”

可怜的费多洛夫不知如何是好，就去请教日本律师石桥先生。于是哈尔滨警察界就有了一个大笑话。石桥代做的报告是这样的：

一九三三年六月上午十时，日本宪兵贺本日新太郎途遇青年共产党员二十余人，叫嚣扰攘，妨害治安。贺本宪兵鼓勇弹压，喝令解散。

酒醉之共党，竟不顾法律代表人之劝告，直扑贺本，并以手杖殴击之。

贺本宪兵本武士道之真精神，奋勇自卫，虽受重伤，仍继续打退共党，拘获彼等首领，送交警署……任务完成之后贺本疲劳不堪。

事关警务，理合呈请钧部鉴核。如贺本宪兵者诚足以代表日本皇军及武士道之真精神矣，其英雄行为又岂止为职等所钦佩而已哉！？

这代写的报告很合于日本军事当局的“尊意”，连费多洛夫也得到嘉奖了。

三个月之后，贺本宪兵因为他的武勇得了一枚勋章。

第九章

李顿调查团

五月一号，我回到哈尔滨的时候，离李顿调查团到哈尔滨的时间只有十天了。一个星期之前，各种警务机关全都奉到命令，逮捕和监禁“意图”向国联调查团有所陈诉的一切“嫌疑”人。

日本的警务系统有时是难于理解或相信的。在满洲就有这么些警务机关：

一、日本情报局，局长由东京任命，只对东京负责。

二、日本宪兵队，隶属于日本军事当局。

三、“满洲国”宪兵队，隶属于“满洲国”军事当局。

四、“满洲国”国家警察，由“满洲国”民政部大臣管辖。

五、市警察，由各市市长指挥。

六、日本领事馆警察，由日本领事指挥。

七、刑事警察，属于市政府，但独立于市警察之外。

八、国家情报局，属于“满洲国”陆军部。

九、铁路警察，属于铁路局。

这各种警察机关都各自独立行动，并不合作互助，常常背道而驰。它们之间的嫉妒、仇恨和敌对达到令人不能相信的程度。其实各个机关的职员的主要任务是侦察另一机关而且随事加以攻讦。这一机关认为是嫌疑犯或危险分子而拘捕的人，那一机关却声明他是模范国民或正人君子。例如加瓦尔斯基事件：他是被日军劫掠了一切而无力还债，自行宣告破产的俄国百万富翁。国家警察和市警察都袒护他，说他是一个可敬的好人，毫无嫌疑；同时宪兵队和国家政治警察却说他不过是可能犯各种罪的一个流氓。当这种矛盾出现在法庭上的时候，就闹成一个大笑话了。

拘捕一切“意图”向李顿调查团有所陈诉的“嫌疑”人，这命令确是由各式警察机关真正一致办理了的。

按照向例，逮捕都在夜间施行。所以，黑夜一到，各式警察就争先逮捕最富的人，企图讹诈他的财产的几分之几然后释放。这已经够坏的了，然而还有更坏的事。譬如已经由宪兵得钱释放了的，跟着又被另一种警察捕去，必须又要再缴赎金。有些中国富人被这样逮捕了五六次，破家荡产，仍然关在监牢里面。

按照日本当局的命令，此次被捕的“嫌疑”犯全都要关在监里，等到调查团走后一律释放。这些人全都被抛在地下的牢洞里，和窃贼、土匪以及凶手之类关在一处，而大多数是调查团走了三四十天之后还不得自由的。

李顿调查团未到之前一个月，日本人就命令一批中俄要人组织了一个向国联“请愿”的委员会。各种“请愿书”都由日本人写好了，这些中俄要人所必须做的事不过是签名而已。不消说，这些“请愿书”都是一致颂扬“满洲国”的光荣的现在和将来的喽。

招待委员会的组织最为周密，一切委员都要练习进退坐立的礼仪。他们必须熟读谨记要说的话和怎样说法。他们都受了警告：倘若他们说了比教他们说的多一个字或少一个字，倘若他们有一毫使人误会他们所说的话的表示，那么他们就要用他们的生命来抵偿这一多或一少，或不合。

李顿调查团要来满洲调查真情实况……日本人就竭尽全力来隐藏一切，不给他们看见，并且用各种方法欺骗他们。日本人做得十分过火，以至那愚蠢现在成为世界纪录，无往而不成为笑话了。

调查团主要人员所住的哈尔滨马狄尔饭店是在严密包围状态之中的。接近那些人员的住室的房间都由国家政治警察局的日俄密探包定了，这些人显然都是那饭店的常客。三个密探住在账房里作为书记，另一些作为中国侍役、茶房、房间侍役、厅堂侍役等等。警察雇用的三个日本女子做了房间侍女。几十个侦探散布在餐室、阅报室、接待室里以及饭店周围。调查团的另一些人员可能去住的饭店，如大饭店和新世界饭店等，也是这样布置了的。

日本人认为调查团员可以去到的重要商店、酒店和头等剧院，都一律派了侦探去做雇员、书记、侍者、向导员等。

据确实统计：“意图”向李顿调查团呈递反满函件

的“可疑的”一千三百六十一个中国人、俄国人、高丽人和九个日本人都被捕寄押在松浦，在松花江北岸，离哈尔滨六公里的一个乡镇。日本人认为调查团或许要去访问的监狱里的一切政治犯、一切苏联侨民、一切能够说英语或法语的犯人，也全都移送到松浦集中营去了。

一切医院都同样施行严密戒备。凡有“嫌疑”的病人全都移送到调查团不会去的日本医院里。

第二步是布置一种民气激昂的场面，使调查团得到全体人民都拥护“满洲国”的印象。

印制了无数的小“满洲国”旗和溥仪像——小旗的成本是三分，相片的是两分。不但是住在哈尔滨的每个人，凡住在铁路沿线的一切中国人、俄国人和高丽人都必须用两元钱买一张相和一面旗。由一个中国人、一个俄国人、两个日本宪兵和一个日本司账组成一个“旗和相”的售卖队。无数售卖队分途挨家逼买一“套”，并且声明：倘若在调查团驻在期间“旗和溥仪”不好好地悬挂在门上和窗上，那么全家就要被捕。对于穷得出不起两元钱的人家是限令半月之内缴付警察分驻所。

我的长官似乎闹昏了头脑。他发令而又违令；他叫抓人，忽然又要放掉。他真是小心过度，唯恐偶一疏忽，闹出乱子。

李顿调查团定于五月十号到达哈尔滨。

四号那一天，长官传唤我去见他，说是很紧急咧。我才一进他的公事房，他就立刻通知我这几天他的脾气很坏。他炸了：

“你什么也不懂；我告诉你一件你才知道一件。我真不明白张作霖上将看中你的哪一点。他为什么提拔你，给你许多钱……甚至继续多年，真是奇怪。倘若我是他，头一天我就要把你踢出去了！……我一分钟也不留你。你毫无好处……没有一点好处！”

“倘若你觉得如此，”我回答，“那么，你自己为什么不把我踢出去呢？我从来没有向你请求工作。倘若你要我走，我真是毫无不平。”

“你总是这一套！不要忘记你是在和情报局长说话。我爱说什么就说什么，但是你无权回答……现在听着！……你知道张凤亭和莫文鸿么？……”

我知道。第一个是一个百万富翁，哈尔滨汇划公会的总理，管辖着二十多个银行和钱庄；第二个，也很富，是同发隆百货商店的财东。

“这两位绅士，”长官告诉我，“联合别的富商，打算秘密递一个请愿书给国联调查团。据说那请愿书是不利于满洲国的，一个日本特务员刚才来报告这消息。现在……我命令你办这件事，要你，无论用什么方法，把这请愿书弄到我们的手里。倘若我们拿到了这请愿书，我们就能够把这班匪徒每一个都送到军事法庭去判他们的叛逆罪……自然，这是说没收他们的财产，哈，百多万元……够日本军用一下子了。我现在希望你得到这请愿书。监视这些人……监视他们的家宅……监视去访问他们的每个外国人……我疑心他们要利用某个外国人去递他们的请愿书。”

“很好！我们把他们全都监视起来……但是，我的特务员每天全都工作二十四小时，没有可以派去监视的人。”

“我也想到了，”他赞成，“而且一切警察机关都很忙碌，我决定利用影的土匪去监视那些中国富人。由宪兵队给他们一张证书，聘任他们做临时特务员。反正他们都是在影的指挥之下，你可以命令影去办。”

“你想我们能够信任他们么？”我问，“他们全是土匪……一旦有权，他们就要找机会滥用权威。况且，你知道他们穿的是什么破布呀，他们的样子就不像特务员。”

“我已经预备了五百套满洲国军服，”他回答，“都交给影去应用吧，问题就解决了。至于那些土匪会干出什么事来，我倒不管。我所注意的只是不让我们不喜欢的任何人去接近调查团的人员。”

每一件事都详细规定到最细微的处所。三天之后，每个中国富人的家宅里就排列着四五个穿军服的“特务员”，号称为“光荣的侍卫”。另派几个“特务员”巡逻家宅四周，跟踪着曾经访问过这些家宅的人们。

我要感谢影的土匪们，他们并未滥用权威。他们奉公守法，证明他们是良好的特务员，而且觉得能够干这种事体是很光荣的似的。他们不但没有犯过任何可诅咒的事，甚至不愿回到土匪本行，请求永远做警察了。

一九三二年五月九号下午四点钟，国联调查团到了哈尔滨。当天正午的时候，车站上和调查团将要通过的街道上全都充满了“满洲国”的中俄探警。平常在哈尔滨街上蜂拥着的日本军警一个都不见了。日军司令部下了命令，不准一个穿日军制服的人出现在街上，要使调查团相信“满洲国”这新国家的成立完全是人民自己革命的结果，日本人并未动手。

好几千日本宪兵和陆军全都穿着“满洲国”的军服。

遵照日本司令的命令，“满洲国”的省市当局和军队将领都到了车站，和招待委员会排列在一处。

列车到了。李顿爵士率领调查团员走出来，那一群当局要人迎上去又退在后面，然后全体向出口走去。正在这时候，一个高丽人，穿着“满洲国”制服在月台上站卫的日本宪兵队员，忽然走上前来，想要递一封信给一个调查团员。他才走了几步，就被一群穿“满洲国”制服的日本宪兵拖拉到警戒线后面去了。

这爱国的高丽人被捕以后，我的长官就把他传唤到他面前。

金巩是他的名字。他在日军宪兵队服务七年了；但是他对于压迫他的同胞的这种人更加愤恨。照他的简单的想法，他相信这调查团是很伟大的，有权力给予现在受难的他所爱的祖国自由解放。在他所写的这高丽文的信里，他质问：为什么国联这样关切于解放在日本统治之下才几个月的满洲，而不同样关切受苦多年的高丽呢？

那一夜的九点钟，国联调查团正在享用哈尔滨的第一次酒宴的时候，爱国的金巩已经气绝了。

我的长官亲自审问他，因为他相信金有同党。

但是金是真正的英雄，即使他有同党他也绝不会招供的。长官先让他随意说话。是的，这直朴的人以为他有一个机会帮助他的国家，他亲自写了一封信，打算交给调查团，并没有别的什么，和别人毫无关系。

因为达不到预期的目的，长官立刻化为野兽，他使这人受了最酷烈的苦刑。他们挖掉他的脚趾甲和手指甲，他们折断他的手肘，他们用酒精灯烧他的脚后跟，而且当施行着这最后惨刑的时候，那长官亲自用他的钢笔挖出他的左眼睛。金随时都重复说："我没有同党，我自己写信。我要求国际联盟把日本人赶出高丽。"

两小时之后，他们把这半死的人抬到附近墓地，才用一枪完结了他。

……

对于每个调查团员，日本人派遣四个侦探，轮流监视他的一举一动，记录他所做的每一件事，和他谈话的每一个人，或想要接近他的人。

调查团讯问为什么这样异常寂静，日本人解释道：因为防备共产党，也因为防备拥护满洲独立的中国人，恐怕他们不但要袭击调查团员而且要谋害随来的中国代表。

这些话是毫无根据的，并不能说服调查团。

只要有半只眼睛的人都能看清共产党是愿意调查团来看看的。至于什么愿意满洲独立的中国人，他们绝不愿闹出什么事故，而且有充分理由相信这种中国人绝不干这种事，而实际也没有这种中国人。这一切监视和侦探只有一个唯一的目的：使调查团和每个人隔离开。

然而这一切布置还是无用。许多派去侦察调查团的中国人、俄国人和高丽人就反对“满洲国”的计划，想尽方法帮助调查团查出真实情况。正在日本宪兵的鼻子下面他们设法布置了许多私访和会谈，而且传达了几百件书面报告。

调查团报告书的“满洲居民的意见”这一章里，李顿爵士叙述如下：

“调查团目的之一即为欲确知满洲居民对新‘国家’之态度。在当时调查情状之下搜集此项证据颇多困难。盗匪、朝鲜共产党，及因中国代表曾批评满洲政制而愤怒的中国代表，到满之新‘政府’拥护者或将发生不利于调查团之实在的或想象的危险，均成为使调查团蒙受特殊保护之理由。至此不安定之地方实际上诚时有危险发生之可能。吾等对于沿途得力保护，表示感谢。但警备之结果徒使一般证人不得接近，甚至有多数华人不敢与调查团一觌面者。吾人在某地接得消息谓在吾人达到之前，官方曾布告凡未得政府之允许者皆不得与调查团会面。以故与各界接触殊匪易易，且须秘密行之，多数人犹告吾人，虽秘密会晤亦极危险也。

“调查团仍排除万难，除与‘满洲国’官员及日本领事与军官做公开会晤外，仍设法注意与商人、银行家、教员、医师、警察、贩夫各色人等做私人之谈叙。吾人尚接到书信文件一千五百余起，其中有为亲手交来者，但大多数则为由邮局辗转递到……

“本调查团曾接见各公共团体及会社之代表，彼等常以书面之陈述交阅。各代表大都由日本或‘满洲国’当局介绍而来，吾人有充分之理由确信彼等所交来之书面陈述，均系先经日人同意者。实际上，彼递送书面陈述之人有时于事后来告我等，谓斯项书面陈述系日人起草或经日人大加修改者，故不得视为彼等真意之表示云。此项文件颇值注意，盖以其中对日本参与‘满洲国’行政权之成立或维持一层，故示疏忽不加可否也。大概言之，此项书面陈述，皆系不满于旧时中国行政之种种怨语，并对新‘国家’之未来表示希望及信仰而已。

“收到书信悉为农民、小本商人、城市工人及学生投寄者，其中详述作者之感想及经历。六月间本调查团返北平后，此种书信均经特选之专家，加以翻译，分析并整理。在此一千五百五十件之书信，除二件外，均对‘满洲国政府’及日人深表仇视。此种信件似系民意之恳挚与自然的表现。

“‘满洲国政府’之高级中国官吏，所以能任职者却有甚多原因。此辈多半为昔日之官吏，其留任或因利诱，或因各种威胁。其中有人通消息于调查团谓彼等系因威吓而留任，所有政权均操之于日人之手，彼等忠于中国，并谓彼等在日人监视下与调查团所谈之话不足置信……

“与吾人会面之中国商人及银行家对‘满洲国’均极仇视。彼等深恶日人；彼等为生命及财产而生惧心，且常称‘吾等不愿变为朝鲜人’……

“职业阶级、教员及医师对‘满洲国’亦均极仇视。彼等指称常被监视并受威胁。干涉教育，停办大学及其他学校，改换学校教科书，凡此均足以增加彼等敌对之心，此敌对之心因爱国心之激动原已极深刻也。新闻纸、邮件及言论之检查，与中国印行之新闻纸之不得入‘满洲国’境，同为一般人所愤恨。但亦有中国人在日本留学回国者，不在此一般人之列。吾人尚接到学生及青年送来之许多书信，其中均为反对‘满洲国’……

“经细心研究各方所获得之证据，无论公私谈话或书信文件，吾人得一结论：即一般中国人对‘满洲国政府’均不赞助，此所谓‘满洲国政府’者，在当地中国人心目中直是日人之工具而已……”

李顿调查团绝不知道，在该团停留在哈尔滨的十四天之中，有五个中国人和两个俄国人因为要想递几封信给调查团被日本人枪毙掉。

李顿调查团绝不知道，一九三二年五月十三号晚上九点半钟，有一个俄国青年学生被日本人杀死在调查团所驻的马狄尔饭店的二楼上，不过因为他想要递一封信给调查团，抗议停闭他的工业专门学校。

一百五十五个中国人和五十多个俄国人因为走近马狄尔饭店都被拘捕了。

在威胁之下，父母被迫着要孩子们出去参加游行，在街上摇"满洲国"旗呐喊。

每个公务员、每个官员、每个工人，不论是中国人或俄国人，只要站得起来的，都被迫着买一面"满洲国"旗去参加游行，而且全都必须使劲大叫"满洲国万岁"！

第十章

嘉奖，和一件小事

调查团走后的第二天，我的长官传见我。这一回他似乎很高兴，他伸着手要我坐下。下面是我所记得的他的谈话。

长官："终于我们可以喘一口气了！那一群老蠢货已经走掉。谁知道他们要到日内瓦去报告些什么呢？好……他们爱怎么报告就怎么报告吧，我们日本人并不咳一声嗽。倘若国联承认'满洲国'，那当然很好……倘若他们不……我们就不承认国联。这是以拳还拳。我们已经征服了满洲，无论国联怎样唠叨也不能使我们放手。为什么世界对于满洲要说这么多废话呢？蠢呀！当我们占领中国、西伯利亚、菲律宾、安南的时候，他们又要说些什么呢？……他们瞧着吧……他们要看见日本使他们吃惊的……人人大吃一惊；俄国人……美国人……法国人……荷兰人……以及我们的亲爱的英国老太婆。那么国际联盟就太忙了……要派多少调查团到我们要占领的各国去！”

他是十分清醒的。他停止谈论，怡然自得地微笑着，显然满足于他的雄辩。然后，他又说道：

“我感谢你在调查团留哈期间做的好工作。一切都按照我的计划进行了，这真应该祝贺你。倘若我偶然说过什么不愉快的话，你不必在意……我有一种神经过敏的脾气，当事情弄错了的时候我就很容易发脾气，见谁就骂谁。所以我希望你不要见怪，我前几天对你说话有些粗暴。我是很神经性的，我向你道歉。

“关于调查团的事，我正在预备写报告给东京，我总要提到你的好工作，你认真执行我的命令。我希望我们不久就可以充分信任你。总之，我并不怀疑。你是一个意大利人，你不能不同情和钦佩伟大而高贵的日本国家。

“你能够和中国人种有什么共同之点呢？……中国

人算什么东西？他们不成东西……永远不成……除非在我们统治之下。我要劝你入‘满洲国’籍……那么你就可以脱离中国和你的最后联系。你以为怎样？”

我自己：“我要考虑考虑。你知道变更国籍和变更影戏的剧目不同。必须想一想，认真地想，在决定采取这种步骤之前。将来，或者，等到日本当局相信我，不把我当做一件抵押品的时候，我和我的家属商量商量，我或许会听从你的忠告。”

长官：“很好！你什么时候决定就立刻告诉我，我随时预备介绍你入籍。我现在要表示给你我是怎样信任你……听着……贼匪现在扣留着五百多个日本兵做俘虏，其中有三十多个官长。他们是分做两三股的，最大的一股在哈绥线上。匪首们通知我们，他们准备和我们谈判交换俘虏：两个土匪交换一个日本人。他们也要求几万元钱。我们愿意交换俘虏，但是拒绝付出一文铜钱。而且，怎样交换和在哪里交换呢？我们觉得有许多困难。谈判继续了两个多月，毫无结果，我想你是能够使这谈判达到成功的。每个匪首几乎都是从前中国军队的军官；你或许认识他们……倘若如此，那么你就更方便和他们讲条件了。我要特别要求你的是要严守秘密，绝不让人知道日本兵被贼匪俘去。倘若贼匪或中国人或俄国人谈论这些事，我们就要极力否认，而且也不会有人相信。但是你是办事的人，情形当然不同。这就是你必须严守秘密的理由。

“两三天之内贼匪就要派代表来。你和他一同回到他们的所在地，和他们的头领办交涉……我也要你确定是否真有这么多日本兵做了俘虏。”

我自己：“请你容许我说，倘若那些贼匪是从前的军官，那么他们必定知道我是中国人，而且我在中国政府机关里服务了许多年。当我和他们见面的时候，在他们的势力范围之内，你以为他们会不会把我当做汉奸放几粒子弹在我的背上呢？”

长官：“你不必顾虑这许多。我们派代表去这并不是第一次……他们对待他们一向都很客气的。”

真的，我自己相信，中国土匪遵守约言确是比日本军官更有信用的。我提醒我的长官：驻在海拉尔的一个日本少佐曾经允许两个苏联代表人越过苏满国界来要求归还被日本兵偷去的一群母牛，结果是这两个苏联人受了苦刑，送掉性命。

“苏联人是十足的鼠疫病菌，”他插嘴，“他们全都要被灭毁了……让我们谈别的事吧。我曾经命令你侦察中国的百万富翁张凤亭和莫文鸿，据说他们打算勾通李顿调查团。侦察的结果怎样呢？”

“毫无结果，”我告诉他，“据我看来，这两个中国富豪和别的中国人全都同样反对‘满洲国’；但是他们太聪明了，绝不会公开表示，理由是他们绝不愿和他们的几百万元分手。倘若你们日本人决定要用他们的财产，那么你们尽可以依照向例没收它，用不着一切黑啰白啰。倘若你以为这些绅士会公然反对‘满洲国’，那你就太过奢望了。”

长官似乎喜欢我的坦率。他大笑着说：

“你说得很对。然而，这两个中国人在中国和外国有太多朋友。倘若不经过适当的法律手续我们就没收他们的财产，那么乱子就闹得太大了。但是，倘若我们能够指出他们反叛‘满洲国’，那么一切都可以依照法律的正当手续办理。无论如何，我们将来还要谈这件事。

“现在你去吧。土匪代表一到，我就通知你。”

我离开长官回到我的住处，我在门口遇见我的第一号在那里等我。他和我一同走进日本特务机关第二部指定给我会我的助手的房间里。

我们才一进去，他就关上门，告诉我我的第四号已经失踪了，他找了两天都没有结果。

我去到第四号所住的旅馆里，听说他是三天以前就走了的，把行李全带去了。打长途电话到大连和山海关去问也没有消息，谁也没看见他。

第二天，当我走进马狄尔饭店的时候，一个侍役递一件密封着的信给我。打开一看，我骇呆了。这信是第四号在马狄尔饭店里用俄文写的，现在还保存着：

亲爱的范士白先生：

因为很严重的理由我不能不离开满洲。那些日本公猪强迫我帮助他们做了许多恶事之后，已经设法驱逐我了。然而我不能不在你面前说明我走开的理由，你对我是不错的。有许多强迫我失踪的真实动因。上一个月，曾经在沈阳和我一起工作的两个日本宪兵大尉告诉我，他们计划绑架傅家店的交通银行的中国经理。

他是严密防卫着的，我们决定逮捕他。宪兵队的一个名叫克尼勃的俄国侦探、一个军曹、两个日本宪兵和我自己到他的家里去逮捕他。把他架到傅家店宪兵派出所附近的一个空房子里，那两个大尉正在那里等待我们。

银行经理被倒吊着，两个大尉发令去把他的妻抓进来。她来了，他们指给她看她的丈夫。并且告诉她交三十万元来，否则就这样吊死她的丈夫；然后放她出去。两点钟之后，她带十八万现款来交给大尉们，说是在这样短促的时候她不能全数交清，等她的丈夫释放了的时候她准定交清。

经理被释放了，他才一走，大尉们就给克尼勃和我各人一万元，要我们发誓对任何人都不说一个字。

今早，日本领事馆警察局长叫我去，告诉我，他已经知道绑架交通银行经理的事，要我交给他八千元，否则他要拘留我。

我很知道日本人的鬼把戏。即使我交了钱，他们也同样要残害我的……所以，我想还是带着这一点钱逃到别的地方去另谋生活吧。

请你原谅我的错误，相信我。

尊敬你的人　副组长第四号

又在信尾上用铅笔写道：

“我请求侍役等我走后三天把这信交给你，请你不要骂他。”

读完了这封信，我就离开旅馆，直接去见那长官，把这封有趣的信交给他。我以为他一定要大发脾气，其实不然。他把它当做一个大笑话，笑得十分起劲。然后他才镇静地说道：

“这就是我所说的快干！两点钟之内十八万元……好精灵的一对流氓……那两个大尉！我真应该使他俩平安享用他们的钱……但是数目太大了。他们一定是不高兴的，当他们晓得我知道全部故事，而且要他们交出他们认为是他们的钱的最大多数的时候。我觉得可怪的是，他们一方面做得好像骗子，另一方面却好像白痴。给两万元给两个俄国畜生！真想不通！……倘若我们国内的陆军军官，从来没有过五元钱在袋里，听见这宗事，他们是要起革命的。”

不迟误一分钟，他立刻打电话给宪兵队立刻扣留克尼勃，不许接见任何人，听候他的处置。

两个宪兵大尉被迫交出十四万元给那长官，长官准许他们留下两万元。克尼勃被拘了四十二天，在这期间他受不过苦刑，供出他还隐藏着九千六百元的地方。交出这钱之后，那两个大尉又把克尼勃带到宪兵队去服务，好像没有那回事似的。

我所得到的报酬

两天之后，我会见长官的时候，他叫我等一等。半点钟之内进来了一个日本人和一个中国人；两个我都不认识。那日本人和长官讲了几句日本话之后就走了。然后长官把我介绍给那中国人，一个高大结实的人，平常面孔。

长官对我说：

“这中国人代表流窜于北满的一股贼匪。他来通知我，他拘留着两个日本军官和三十四个兵士，他们愿意和我们交换我们拘留着的他们的朋友。他要留在这里做抵押，用他的生命保证你安全回来。明天，你和他的一个朋友同到海伦去，由他指示你下车的地方，他带你到哪里你就跟他到哪里。当你到了匪巢的时候，你要查明是否真有日本俘虏这事实。倘若真有，你就写下他们的名字和队号，并且布置交换的条件和方式。”

第二天上午七点钟，我和那中国人搭车到海伦去。我的同伴一直不开口，我有话问他的时候他只是用头表示可否。到了李家窝铺，离哈尔滨五十公里，他才恭敬地对我说道我们要下车了。离开车站，我们进了一个村子，走过几条街，到了一座小中国房子前面，那里站着两匹配好鞍勒的蒙古马。并不问谁的许可，我的同伴就解开马缰，把一条缰绳给我，要我骑上。骑了六小时之后，下午三点钟到了另一个村子，我们就被一群中国人拦住，这些人和我的同伴交换了几句话之后，走来要蒙住我的眼睛。我欣然赞同，又骑了二十分钟。当解开蒙布的时候，我看见我们在一个地窨前面，有五个中国人已经先在那里。其中的一个穿西装、长筒皮靴，走上前来欢迎我，说着十分正确的俄国话。

讨论很短。他们真是土匪，他们唯一注重的只是使被日本人捕去的二十七个同伴得到自由。作为交换，他们愿意释放三十四个日本兵和两个军官。双方同意：他们先放十七个日本兵和一个军官，第二天日军司令部就释放十七个“贼匪”（首领已经把名单交给我了）。恐怕日本人捣鬼，他们要我留在那里做质，因为我的任务重大，他们把我当做“要人”了。

下午七点钟的时候，十八个日本人被蒙住眼睛，骑马走了。我交给那军官一封信，要他转交那长官，在这信里我说明了彼此同意的交换条件。

两天之后，当日落的时候，十七个被释的“贼匪”回来了，剩余的十八个日本人也就像第一批一样送到哈尔滨去。我仍然留在那里做质……我确是一位可敬的宾客。他们待我顶客气，从他们的不很充裕的给养之中选出最好的东西来款待我。

又过了两天，最后释放的十个“贼匪”来到了。我的任务完成，我依照着来时的方式回去。由两个卫兵保护着骑了几点钟之后，我被命下马。他们解开我的蒙眼绷带，交还我的手枪，叫一个中国人把我领到一个有些灯光的处所。半点钟之后我到了兴隆镇车站，离我第一次下车的车站四十公里。

在哈尔滨，那长官笑眯眯地迎接我，嘉奖道：

“今天我就要报告东京，说你做了很好的工作。我绝不忘记报告他们，你为了日本兵士的自由情愿亲身做质。

“现在你的第二步工作是，去营救被游击队掳去的几百个日本人。这些贼匪比较更难缠。我们和他们谈判了二个月都没有成功。他们给我们许多麻烦，这些游击队武器很坏，穿得很坏，吃得很坏，他们不断地打仗，炸列车，破坏铁道，尽力扰乱拦劫。日本有些理想主义者、和平主义者和另一些蠢才以为一个统一的中国对于日本更有益，比较一个被革命所扰乱和在日本军事统治之下的中国！

“一个统一的中国，十年之后，就不要买一元钱的日本货……中国人制造各样……各样……从玩具以至枪炮。十年之后，统一中国就能够生产现在日本所卖给她的各样东西；不但如此，她还要卖给我们，和我们竞争，她的劳动力的低廉甚过日本工厂的凄惨工资。我们的工人农人都不能和中国的工人农人竞争；因为中国人更精敏，体魄更强，更能适应生活环境。

“我，一个日本的将军，这样和一个欧洲人谈话，奇怪吧……但是，我要这样说，因为我相信你是同情于日本的……因为我把你当做我们之中的一个，我希望你将来变为我们的自己人。”

歇了一会，他继续说：

“因为要应付中国的竞争，我们曾经在中国境内利用中国的低贱的劳动力设立了几百个工厂，而日本国内却有无数失业者。倘若我们容许中国进行她的统一和改造工作，十年之后，我们就要宣告我们自己的死刑了。现在他们并未统一，他们已经在建立兵工厂、飞机场、军官学校等等……再过十年，他们对于我们就要成为太强的了。中国人不能作战的老观念早已粉碎了。你已经看过嫩江桥、松浦、齐齐哈尔和别的战争了。现在你看他们……这些贼匪……还在如狼如虎地打着，死也不肯投降；到处都有他们，但是你看不见他们在哪里。我们以为我们已经消灭了他们了，但是我们的列车到处被炸，我们的人每天被杀，几百个日本兵做了俘虏。十年！……倘若我们容许他们十年，那么我们就不安全了，不但在中国，而且也在满洲、在高丽，甚至在日本。十年！……给予四万万五千万中国人武装和组织他们自己的时间……然后，让他们随意把我们踢出去。这是绝对不许的。倘若日本再不决定采取军事独裁制度，枪毙那些理想主义者、和平主义者，以及危险的白痴的煽动家……我们的国家是失策的。我们现在必须征服中国。迟一年这事业就增多一倍困难，等待太久它就成为不可能了。

“只有统治着中国资源，我们才能够扩充海陆军备到支配世界和按照计划扩张帝国的程度。

“日本一旦统治了中国，我们就要进向西伯利亚、安南、菲律宾、印度、新西兰、澳洲，什么时候我们愿意干就干。没有中国，日本人就不能不退回到三岛去打渔为生。

“我恐怕我的谈话使你厌倦……但是有话说了觉得

心安自在些。”

“现在……倘若你没有事，我想要请你吃点心。”

我接受了他的邀请，我们同上楼去到这神秘人物的住室里。我吃了一惊，点心全是欧洲式的；我看坐在餐桌上的我的长官的态度完全是英国风的绅士了。两个年轻的日本女子在那里伺候我们。

这似乎是给我一个机会来满足我的好奇心：这奇特的人能够化为绅士也能够形同村夫，他有多方面的教养而又对于许多事蒙昧无知；他有时确信日本发展前途的胜利，有时似乎忧惧他的国家的将来。真的，他是我所遇见过的最矛盾的人。

当酌满法国美酒的第二瓶的第一杯的时候，我冒昧问道：

“你使我觉得你是一个游历过许多地方的人。”

“你何以见得呢？”

“你说着纯粹的英语，虽然有些美国腔调。只有久住英美的人才能说你所说的那样好的英语。”

长官注视着我……然后他的表情变为严重的了。

“你或许是对的……但是，对不起，我不能回答你。

在日本情报机关服务的人，不论是什么地位，都不许说出姓名、职衔，以及生活中的逸闻轶事。我们同样是只有号数，没有姓名，没有荣誉，没有任何社会生活。

“你必须原谅我的疏略……我们顶好是谈工作……

“现在我打算……在两三天之内要你去设法营救我们的被俘的人们。你或许要和那些土匪住几天，我已经决定让你休息一下。所以，除非有异常的事故，我暂时不叫你办事。”

第十一章

我去到游击队的营寨里

四天之后，长官召我去见他。

在他的办公室里，我遇见一个大佐，据说是刚从长春来的。大佐把我从头到脚看了一遍，对那长官说了几句日本话，然后转面对我说道：

“司令官很赞赏你的才能，使我们日本士兵得到自由。现在他想要你不但办理交换俘虏的事，同时要你获得我们所需要的情报，以便剿灭其中最强的一股。你的意见怎么样？”

“这是一件不容易的事，”我回答，“倘若这谈话迁延两个月之久毫无成功，简直就是因为游击队觉得日方的代表人不但是营救俘虏，而且注意于收集情报。所以他们戒备得更加严密……我不愿去担任这种愚蠢的角色，徒然被枪毙掉。”

长官和大佐用日本话讨论了十多分钟。从我所懂得的几句话里面，我知道我的长官的意见和大佐的意见不同。大佐终于对长官鞠躬两三次之后，走掉了。

几分钟之后，汽车的声音表明大佐已经驰去了，长官才打破沉默：

“刚才你在大佐面前忘记提出我对你说过的意见。明天你就动身到穆棱去，有一个游击队的代表在那里等候你。我知道你是愿意尽力去做的，我充分信任你。我们打算用两个土匪交换一个日本兵，但是我们不肯出钱。你试行暗示他们我们的陆军和空军的伟大，要他们明白我们不久就可以消灭他们。倘若你能够劝告他们投降，那就更好了。一句话，我给你全权办理。”

二十八小时之后我到了穆棱。我刚一下车，就有一个打扮像是俄国农民似的中国人走来问我是不是范士白先生。我答应是的，他就要我跟他走。车站外面有两匹装配着鞍具的马正在等候着。我们骑马走去。到了市郊最后一个家宅前面，日本哨兵们阻住我们，我就把我的证书给他们看，证书上写明沿途军政官员不得盘问我的行踪。

骑马几小时之后，我们到了一个村子，C上校已经在那里等待着了。

“哈喽！你这‘满洲国’人！”

“哈喽！你这土匪！”我应声叫喊，连忙下马。

握手之后，C介绍我给和他同来的几个军官，其中还有老相识咧。

“我看，”C大笑着说，“你现在是一位外交官，而我们……好，我们是土匪；但是我们并不羡慕也不怀恨你。表示我的心放在正处，我已经替你预备了一顿好饭。”

说着他就引我走了十多分钟，到了一座中国房子里面。我真惊奇：餐桌上铺着白布，陈列着好酒和各种食品。家具是素朴然而干净的；桌上摆着一座很好的收音机。

“你不必奇怪，范士白，你所看见的各样东西都是日本人的。收音机、家具、茶具、食具、食物、罐头食品全都是我们从日本人手里得来的礼物。我们的大多数兵士都穿着日军的制服；我们所用的步枪、机关枪和手榴弹也是日本的。我们有两尊山炮，但是没有炮弹；很多马……全是日本人送来的。我们很想要一架飞机，但是我们还没有捉到；虽然我们有两尊日本的高射炮，打下来了五架飞机，但是损坏得太过，不能用。”

午餐之后，C带我去看他的兵房。他说得不错；我好像到了日本军营里面似的。各样东西都是日本的：制服、军帽、被褥等等，不过一切符号都被游击队消毁了。

“想想看，”C上校说，“日本人说苏联政府武装我们！而供给我们武器的却正是他们……他还要继续供给咧，一直到他们被赶出去或被杀尽为止。贼匪！……他们叫我们贼匪，他们偷盗我们的国家，劫掠我们的财产，屠杀我们的人民。”

“那些俘虏在哪里？”我问。

“离此地大约五十里，和我们的人住在一处。我们这里不过拘留着五百个。”

游击队都住在中国人家里，和一般居民的感情很好。可怪的是那些兵士都好像十分壮健和很有训练似的。他们并不必须停留在那里，他们是可以随时移动的；但是他们全都住在那里，而且新兵每天都来补充伤亡。我看见有些伤兵系着绷带。

“什么人照料伤兵？”

“我们有四个医生……有一个是外科的。”

C说出他们的名字，我知道他们都是满洲的大家子弟。

“谈到那些医生，”C继续说，“在我们的队伍里有六个富豪的儿子、三十个政府官吏、商人、学生、翻译等……哼，他们敢叫我们贼匪……他们，我们的国家的破毁者，我们的人民的屠杀者。我们是中国人……我们为我们的祖国的解放而奋斗，我们并不抢掠谁。我们攻击日本人，因为我们是在我们自己的家乡打强盗，这是我们的国家……人人有权反对盗贼和凶手。你已经看见乡间人待我们何等好了。因为他们知道我们是中国兵士，我们打仗是为把日本贼子赶出满洲去。我们攻击日本的每件东西，他们的列车、他们的铁道、他们的财产，也同样对付汉奸。

“日本人掩饰他们的失败，但是我可以使你相信游击队没有一天不攻击他们的……而且我们总能够达到破坏的目的。我们一直要干到他们滚开的时候。日本人不敢走出铁道以外两里路，我们是这里的主人。你看见的，我们的人来去何等自由……日本人却不敢如此的。”

贼匪？……日本的宣传机关同盟社一直到如今都这样称呼这些游击队。倘若这些艰苦奋斗的中国的爱国者是“贼匪”，那么满洲确是遍地皆“匪”的。

据日军第七旅团长服部少将的报告（一九三四年二月），他的队伍在十次战役之中损失了五百二十人。依照日本军事当局惯用的损失计算法，大概可以确信服部旅团已经全部溃灭了。

日本宣传家和同盟社想要辩护日本的行为，欺骗世界，诬蔑游击队为“贼匪”。其实，放火烧日本幽囚溥仪的皇宫的；烧日本飞机场、日本兵营、日本车站的；炸毁日本列车的；袭击日本军队的；这些爱国者全是英雄，绝不是“贼匪”。

在一九三四年九月十四号的国联第十五次大会中，郭泰祺公使说明这些所谓“贼匪”的行动：“……这运动是被践踏的人民对于不法的强大的军事压迫的抗拒和抵制；沿着永远不会感觉绝望的伟大目的的传统路线，不断地继续战斗以至达到终于解放的时机……今日的满洲在实际上正和被占之初是同样的光景：日本的现役军队防守着重要城市和铁路线，同时以不断的讨伐屠杀民众……”

这种运动的最好证据之一是满洲五大干线铁路局长们的报告：“在一九三五年中，满洲境内国际列车被倾覆七十三次，普通列车被袭击一百三十一次，车站被焚七十四处，铁路职员三百四十人被杀，六百五十人受伤，四百五十一人被绑票。”

在一九三五年中，这五大干线全在日本人手中，受损害的当然都是日本人和汉奸了。

一个愉快的惊异

天色渐渐黑了，C和我才骑上马，由十多个游击队员护送着，走了两点钟，达到安置日本俘虏的处所。

在C的住宅里吃过晚餐之后，我们去到一所作为会场的房子里。那是一座独立的单层屋，地上铺着大石板。这大厅从前必定是关牲畜的地方；地面上铺了一些草，摆设着凳子和桌子，还有一座很好的收音机。

四十多个军官坐在那里，有些在玩纸牌，有些在搓麻将，同时有些在看书或谈话。

当我们进去的时候，C在最先，每个人都站起来了。C对他们解释了我来的目的，然后开始讨论。我们一致赞成交换俘虏，但是许多人怀疑日本人约言，恐怕上当。

我声明由我负责谈判和交换的时候，我绝不暗中欺骗或捣鬼。经过长时间讨论之后，我们一致同意先把五十个日本人送到两天路程的一个车站上去释放。等到一百个游击队员被释放的时候，再同样放出五十个日本人。

我在C上校的房里过夜，他替我预备了上好的被褥，自然都是日本人的。但是我们谈话的时间多过睡眠的时间。我们谈论我们的秘密组织的过去、现在和将来，谈论到曾经以财政援助游击队的人们，谈论到有些爱国者太过被他们的财产所牵累。我们讲到奇袭横道，突击一面坡；自然，我并未忘记告诉C那长官要我恐骇他的那些话。我们俩像学校儿童似的大笑了。

C很高兴地通知我，托尔克马达第二大佐，那横道大审的屠夫，是一个模范俘虏，一只最驯服的癞皮狗。我欣喜明天早晨就要和他再会了。

半夜两点钟的时候，我们才谈完了话，决定睡觉。

七点多几分的时候，我们起来了。S，曾经到横道的车里访问过我的那俄国人，引着五个加入游击队的俄国人来见我，说是向我致敬。C邀请他们和几个中国军官同我们吃早餐，同志友爱的感情是十分明显的。

早餐之后，我要C上校准许我去看俘虏。他们都关在用铁丝围着的二十多间中国房子里面，有几个哨兵在围栏外面看守着。日本军官们关在别的二个房间里，其中阶级最高的是托尔克马达第二。C上校、四个中国军官、俄国人S和我同去到托尔克马达第二的住处。门前有几个日本兵正在用装煤油的洋铁桶洗衣服，另一些正在劈柴。

当我们走进去的时候，十多个日本人全都起立，恭敬地对我们实施了举世闻名的毫无意义的许多鞠躬。有些穿着军服，有些穿着便服，而托尔克马达第二和别的几个却穿着和服。倘若这大佐穿着军服的时候好像一只猴子，那么现在看来，穿着和服而且留着须发，就叫人想起加士台弗多里（Gustave Dore）所画的但丁的《炼狱》里的花斑鬼了。

一看见我，他就做了算是微笑似的那么一种怪相；他想要走上前来，但是S粗鲁地把他推回去。我以为他要大声抗议了，但是托尔克马达第二却恭敬地鞠躬，用俄语道歉。

大审判官改变成什么样了呀！他曾经把数百中国人和俄国人的生命掌握在他的血手里，他曾经以杀人害人满足他的凶心，现在却在他的捕获者之前驯顺地用灰涂脸。那些别的日本军官也和他是一样的：全都继续鞠躬而又鞠躬，这些可怕的武士道者，这些神圣天皇的军官，这些屠杀徒手群众的凶手，这些残害妇孺的恶兽。现在他们的勇敢在哪里呢？勇敢？勇于对弱者逞凶……勇于仗势欺人……野蛮卑劣的横暴……由原始的神道主义所煽起的凶焰。

我走到托尔克马达第二前面对他说：

“我是日军司令派来交换俘虏的；谈判进行得很满意，我希望第一批五十个今晚就能起程到哈尔滨去。”

“谢谢你……谢谢你，”他最恭敬地说，鞠躬得几乎要趴在地上，“你是一个伟大的、光荣的绅士，一个很伟大的、很光荣的绅士……倘若我再得自由我一定不忘记你……我希望光荣的绅士使鄙人能够和第一批俘虏同去。”

“决定这个的是C上校，不是我。但是，我愿意尽我的力量使你和第一批同走。”

我们离开那房子，我看见各个人都像我一样感觉厌恶。我想不到这卑鄙的物就是几个星期前以枪毙威胁我的那暴君。

我转面对C上校说：

“用鞭子痛打这畜生一顿倒是很有趣的。”

“人总应该设法款待好朋友……今晚你就可以实现你的心愿了。”

“是吗？……但是当我回到哈尔滨的时候，他们会把我枪毙掉的。”

“我想到了一个很好的方法。”他说了，哈哈大笑。

黄昏时候，五十个伤病老弱的日本兵被蒙住眼睛，扶在马上，由廿五个游击队员护送到铁岭河车站去了。全队都昼伏夜行，躲避日本的飞机。我交一封信给一个被释放的日本军官，要他转交那长官，在那信里我解释了彼此同意的交换条件，并且要求他履行约言。

第一批俘虏走了两小时之后，C上校，他的军官们和我同桌吃过晚餐，接着他就要我走进一个小房间里，然后把我单独关在里面。我很惊异这种办法。

大约有十分钟之久，门开了，进来了C上校，手里拿着一支手枪。他凑近我的耳朵小声说道："把戏要玩得好，"然后高声大叫，"滚出去，……混账的'满洲国'人……出来……快点……进去！……"

勉强装做服从的样子，我走进一个大房间里面。房间中央，啊呀，我看见托尔克马达第二像一个和尚似的跪在那里。C上校交一条鞭子给我，用手枪指着我严厉地命令道："讨厌的'满洲国'人……你要求先放这混蛋和第一批俘虏同走，可见你们是好朋友……我偏要你打你的好朋友二十鞭子……使劲打；否则我就放一粒子弹在你的头里面。"

作出昂然的骄态，我简直拒绝了。

"唔……哼！你不肯？好的！但是在枪毙你以前，我要你看着你的朋友被打，可是不打二十，要打五十。"

转面对着一个士兵，C命令他：“给这狗五十鞭子。”兵士俨然走到我前面，伸手向我要我手里的鞭子，同时恶狠狠地向着托尔克马达第二，后者抖颤地向我说道：

“请……请！范士白先生，顶好你打我二十下……这家伙会打杀我的……”

假装勉强，我举起鞭子轻轻地打了托尔克马达第二背上两下。

“打重些……打重……打重呀！”C严厉地命令我，“否则我要他挨五十。”

其余的十八下我就竭尽我的膂力了，托尔克马达第二叫喊得好像关在笼里的科约特[1]似的。

惩罚已毕，C上校命令士兵把托尔克马达第二带回他的住处。我伴送他到街上，向他道歉说我是“万不得已”才干这种“可怕的事”。

然后我转回来，我们乐得一阵最快意的欢笑。

当我打那畜生的时候，我心里想着我亲见的几百个无辜的他的牺牲者。

费了九十天的时光才把全部俘虏遣送完毕，因为每

[1] Coyote，美洲西部所产的一种山犬。

一批都由不同的道路送到不同的车站。

一切都办完了之后，我和C上校和他的军官郑重告别，起身转回哈尔滨。

那长官把我当做一位英雄似的迎接了，告诉我说他已经向东京推荐我做他的副手。

结果，托尔克马达第二受斥责，被押送回日本去，因为他穿着和服被俘去。照例，凡是被俘的日本军官都遣送回国了。

第十二章

绑票大流行

在第十章里所说的那两个宪兵大尉的十八万元的大成功已经引起了无穷的艳羡和竞赛。绑票现在变为日常的例行公事了。宪兵队所雇用的十个土匪几乎没有一天不“捉住”几个有钱的中国人或犹太人的。恐怖弥漫于满洲全境。各种警察机关都各有一群绑人勒赎的土匪。在各个大城市中，富裕的中国人和犹太人都被绑去勒赎巨款。

这里我只叙说我亲自看见和经过我手的事。和我不相干的以及听见的都一概不提。

上文已经说过，满洲是那样庞大，而日本的各样警察机关是各自为政，并无联系的。

况且，许许多多被绑的牺牲者缴了赎款并不报告警察，因为他们都很知道绑匪和警察是密切合作的联手，而且一报告就会惹出更大麻烦。

我所知道的日本宪兵队和情报局雇用的中俄土匪绑票案是绝对真确的，因为那长官命令我查办那些案件，要我确定赎款是否太多。我常常叫去做翻译，当那长官亲自审问牺牲者的时候，尤其是当富人们坚持没有钱或钱不够的时候。

下面是那些人的真姓名和赎款数目：

富豪王尧卿为赎回他的儿子付款二十五万元；然后又为赎他自己付款四十万元，再付十万元。

百货商店主莫惠堂被绑两次，每次赎款十万元。

商人张清和被绑三次：第一次赎款二十万元，第二次二十万元，第三次十万元。

商人陆泰赎回他的儿子付款十万元；赎回他自己付款五万元。

许多中国大富豪和前任高官显宦的全部财产都被没收了，这些牺牲者都被迫进庙里去做和尚。前任哈尔滨警察厅长王先生，原来是很富足的，现在哈尔滨的俄国新坟园附近的一座庙子里做方丈，有许多和他同样的人都跟他在那里。我每周要到庙里去看看那些前任高官是否全都在那里静坐念佛，因为这是规定给我的职务。其中的几个是活该受罪的，而有些却是可敬的人。

加斯白克医生（Dr. Kasem Bek），是很受凡是认识他的人所敬爱的，一个慈祥恺悌的君子，曾经被日本宪兵队的土匪绑架过两次，每次被逼缴重大赎款。

海里逊医生（Dr. Hellieson）也遭遇了同样的事故。商人特拉生科（Mr.Tarasenko）被宪兵绑去，勒赎一万五千元；后来又被市警察绑去，勒赎五千元。商人提斯敏尼斯基（Mr. Tisminitsky）被迫缴赎款一万五千元；爱司金先生被迫缴赎金一万元。舒勒狄弗洛伦斯先生（Mr. Sherel de Florence）从犹太会馆里出来，被六个武装匪徒架去。当时有两百多人看着，警察全不理会这事，因为他们都知道这些绑票的俄国人都是宪兵队的人。舒勒狄弗洛伦斯被囚在黑牢洞里一百五十天，缴款二万五千元才得释放。

宪兵队长下令绑架一个波兰学校的青年学生。三个绑匪，两个俄国人和一个中国人，认错了人。并未绑着那很富的青年，他们架走了天主堂孤儿院里的一个孤儿，伐伦丁太那伊夫（Valentin Tanaief）。然而，宪兵队长拒绝释放这可怜的孩子。“天主堂有钱；倘若这孩子是穷的，就让他们来赎吧！”他说。拘留了两个月之后，吉林的主教才用两千元把他赎出来。

哈尔滨的一个大药房的主人——科福曼（Kofman），表面上是很富的。一九三二年三月十一号晚上十点钟，他被日本宪兵队的几个俄国人绑去，关在新城的宪兵队的地牢里。第二天的俄文报上发表了科福曼被绑的消息，然后《鲁波尔日报》就接到匪方通知，要求牺牲者家属缴出赎金三万元。十二号的夜里，宪兵队的俄国工具把科福曼从地牢移到郊外马家沟的一个小中国房子里。

俄国情报员说科福曼是一个富人，容易缴出三万元的，同时另一些人却说他不能缴出这数目。他们说，他有财产，但是现款很少。

那长官讯问我的意见。我坦白地告诉他我不相信科福曼家能够拿出这么多的钱来。同时，我要他注意现在谣言盛行，说是绑科福曼的是宪兵而不是土匪。

“我对于谣言没有兴趣。倘若科福曼并不如‘我们’所想象的富足，犹太人联合会会筹款来赎的。”

十三号，宪兵队已经愿意把赎款减低为一万五千元了；但是正要这消息送给《鲁波尔日报》的时候，绑匪之一——俄国人拉佐伊夫斯基进来了。这下贱的年轻无赖于一九二七年逃出苏联，带着他的同样下贱的家属来到满洲。当初，有人疑惑他是苏联间谍，因为他的父亲是苏联领事馆的雇员。后来，这儿子加入了一种匪帮，以爱国和反苏掩饰他们的盗贼行为。拉佐伊夫斯基曾经因为盗窃两次被捕。他曾经用恐骇的方法，设法强迫一个法律学校承认他为学生，而且在几个月之后就弄到一张文凭。

自然，这匪帮很引起日本人的重视，被邀请去加入他们自己的谋财害命的组织了。

因此，拉佐伊夫斯基参加了科福曼被绑案，主张科福曼家属必须缴出三万元。他反对减低赎款为一万五千元，说是他已经得科福曼的财政状况的可靠情报。

“我要求准我去审问他。倘若你们把这件事交我去办，我相信我能够要他缴出三万元。让我去办吧，不会有错的。”

他被准许去办去了。

吉里兼科和两个日本宪兵跟他同去到幽囚科福曼的房子里。在十一点半钟的时候，那长官急迫地要我去见他。

“你知道出了什么事吗？”他对我说，“科福曼死了。他们似乎使他受苦刑，而他的心脏衰弱，受不住。无论如何，我要你去看看，让我知道是怎么回事。我已经通知宪兵队，叫他们让你进去。”

我跑到宪兵队本部，从那里坐了非军用汽车驰到马家沟。

十分钟之内，汽车停在一座破房子前面。陪我同去的宪兵军曹推开门，我们走进去。在一支烛光之下，我认出五个人围坐着喝啤酒：两个穿便服的日本宪兵、拉佐伊夫斯基、吉里兼科，还有一个叫做卡留斯科的俄国人。

拉佐伊夫斯基请我坐下喝酒。

“不，谢谢你，我来看看这里所发生的事情。”

拉佐伊夫斯基斜起眼睛，嘲弄地看我，说道：

“我以为一只猪死了并不必做什么报告咧。这混账的犹太猪要钱不要命，他不愿写信给他的妻。我才威吓了他一小下，他就死了。我们没有办法。哈尔滨多的是像他似的猪。”

我要求看看那尸体。它放在一个角落里，用一条脏毡子盖着。我一看见那尸身的上部，骇得打了一个寒颤。牺牲者面目模糊，被烙得不成样子呀，还有烧肉气味。现在我才明白当我走进来的时候闻到恶腥的来由。

“这是谁干的？”我问。

“我，”拉佐伊夫斯基回答，“凡是肮脏的犹太人、俄国的敌人，都是应该这样弄死的。”

我发现不幸的科福曼曾经受了残酷的苦刑。他们烙了他的手脚之后又烙他的脸，而且，当他叫唤的时候，他们塞住他的嘴，以致使他窒息而死。

我回去把我所见的都报告了那长官。他似乎不很在意，不过说道：“太糟！毫无意义的胡闹。”

恐怖之上加恐怖，日本宪兵把他劈为四块，大概因为他的身体太重大吧，埋在他们处置死在街头的毒品牺牲者的坑道里面。

然而，日本宪兵队仍然和科福曼的家属谈判赎金。科福曼惨死了三个星期之后，科福曼夫人还交了一万八千元来赎她的丈夫。

各处宪兵队和各种日本警察机关所雇用的俄国帮和中国帮的绑匪是这样众多而又互相竞争，以致中国的和俄国的富人不敢出门一步。这“恐怖的统治”或许比历史上的任何暴乱时代更为恶劣。

因为要讹诈苏联侨民的钱财，日本宪兵觉得绑票太麻烦；只要栽诬他们是共产党和宣传家就可以拘捕他们了，拘捕之后不缴巨款就不释放。在满洲的大多数犹太富人也遭受了同样榨取，进了监狱。

这或者就是日本外交官向世界宣言的遵守“门户开放”原则吧。所开的只是监狱的门，而进去之后就立刻关上，“拿钱来否则我们不开”。

斯诺（Edgar Snow）在他的论文《日本所建立的新殖民地》（*Japan Builds a New Colony*）里写道：

“哈尔滨，曾经是可喜的，现在却号称为‘生死场’了……或许世界上各大城市的生活没有像这里这样动摇不安的了。哈尔滨的居民，其中大约有十万白俄和红俄，倘若不带武器，那就到处都冒着生命的危险，即使是在白天。强盗、凶手、绑匪是通行无阻的。

“外国领事不能不设置卫队防备他们自己。当我在哈尔滨的时候，有一天，我和正在游历满洲的波士顿议员丁康去到松花江边。我们去访最为豁达雍容的总领事汉生（George Hanson）。汉生先生的住室前面的小桌子上摆满了步枪和自动枪。他的住宅的两边散布着如临大敌的卫兵……

“我所住的马狄尔饭店的主人正在忧愁着失踪的他的儿子，一个有才能的钢琴家——西蒙加斯普（Simeon Kaspe），一个法国籍的人，他被俄国匪徒绑去，要求他的父亲缴出三十万元赎金，否则他们要砍掉他的手指。结果，他被割去耳朵而且害死了。离城市不远的地方许多人常常被绑去。”

加斯普事件

在和我有关的许多绑票案之中，小加斯普事件是最为耸动国际视听的。我为了这事几乎送了我的性命。

牺牲者的父亲约瑟夫加斯普先生在日俄战争后作为俄国难民到了哈尔滨；在那战争中他曾经在一个骑兵团里作战。

在哈尔滨他开了一个修理钟表的小店，几年之后它变成一家银器和珠宝的大商店。一九一八年他成为远东最著名的珠宝商，兼营哈尔滨第一的马狄尔饭店。

一九三二年日本占领满洲的时候，约瑟夫加斯普是最大珠宝商、马狄尔饭店的唯一主人，又是许多联营的电影院的首席董事。他的各种财产，有值几十万的以至值几百万的。关于他累积财富的方法，有种种谣言和意见。

加斯普有一个弱点：他喜欢谈论他自己和他的财产……也喜欢谈论他的两个留学法国的儿子，一个在巴黎大学，一个在音乐学院。他爱说他的孩子们学业超群……自然，也谈到他们都已入了法国籍。

他把他的财产的所有权都登记在他的儿子的名下，因为他已经觉察日本人对于他的财产表示异常关心，而且他明白了那用意所在。全部财产都转移之后，法兰西的三色旗就高悬在马狄尔饭店和各个影戏院上。

眼看着这些赚钱的大产业过渡到法国管辖之下是十分不合于日本人的趣味的。

早在一九三三年五月初间，我的长官就表示要绑老加斯普。但是他承认那是一件不容易的事：加斯普很少出门，偶然出门，总是带着武装保镖。他的住室是在马狄尔饭店的地下层，好像一座炮台似的；窗子和门户上都装置着钢板，而且里面外面有许多俄国保镖。

年轻的西蒙加斯普卒业于巴黎音乐学院之后，他来到哈尔滨住些时。他是一个很漂亮的青年，一个有天才的钢琴家，他的父亲以为他胜过巴达留斯基。老加斯普毫不吝惜地使他的艺术家儿子在他最好的剧院里演奏；他也曾经替他布置豪华的排场到上海、到东京去演奏。他刚从东京回到哈尔滨来。

哈尔滨的日本宪兵队早就派人跟踪着小加斯普，而这法兰西籍的年轻人毫不怀疑谁敢绑他。他是何等的错误呀！

一九三三年八月十四日，那长官问我法国领事里诺特（Reynaud）和加斯普们之间的关系是否可以称为亲密。我告诉他我以为他们之间并没有什么友谊。

"我也这样想，"那长官说，"法国领事和那些犹太猪之间能够有什么共同点呢……纵然他们是富的？那领事必定知道，那两个儿子入法国籍不过是要防备他们的财产被日本人取去。

"总之，法国旗并不能阻止我们所要做的事……所以我命令宪兵队绑小加斯普。据我的马狄尔饭店的密探的报告，他常在夜间和几个犹太姑娘出去，到很晚的时间才回来。但是要防备有人怀疑到日本人，我已经决意要中国人去绑。等我计划好了我就通知你，要你叫影选择八个最能干的人来做这工作。"

一九三三年八月十七号，那长官命令我派影率领五十个人到洮南去剿办一个乡村，因为它杀了一个小官和一个日本宪兵。当时他并不提到加斯普的事，我以为他已经放弃这计划了。

八天之后，我的第一号告诉我，谣传西蒙加斯普已经被绑。我把这消息报告那长官，他带着他所特有的那种讥刺的微笑，说道：

"我也听见了……但是还不知道详细情形。至于你呢……你不必操心。我已经命令别的特务员去调查这件事……我知道你太忙……况且……几天之内就要完事了！”

当晚，我的特务员给我一个关于这件绑票案的详细报告，并且指出与这暴行直接间接有关的人名。事实是这样的：

日本宪兵司令部的翻译秘书中野和督察员马丁诺夫土持这件阴谋。后者指挥着十五个罪人，都是由拉佐伊夫斯基替他从“法西斯俱乐部”选拔出来的；拉佐伊夫斯基现在是那俱乐部的首领兼《我们的路》报的编辑。一个希腊流氓，曾经被派去侦察马狄尔饭店的旅客的，把小加斯普的行动都已报告中野。那青年每晚偕同出游的妇女的名字和住址以及经过的街道，都侦察出来了。

小加斯普于一九三三年八月廿四号被绑，当他停车在他常去的一家门前的时候。他被藏在哈尔滨附近的一个隐密地方。

第二天，宪兵队要求老加斯普缴出三十万赎金。那老人简直拒绝了，谈判毫无结果。宪兵队要钱，但是老加斯普不给，不过他说当他的儿子平安回来的时候他愿出几千元钱。他是绝对倔强的，说是要杀他的儿子也没有动摇他的决心。

一个月之后，九月廿八号，小西蒙的耳朵被割下送给他的父亲，但是可怕的信物并未改变老人的心意。他仍然说等他的儿子被释放之后他才肯出三万五千元。

法国领事提出抗议，日本当局的回答是愿意尽力寻找小加斯普。

但是法国领事的努力大概止于写信，而副领事沙保，一个很能干的青年人，却知道日本当局的回答是敷衍的空话，于是自行侦察，雇了几个可靠的干探。沙保先生不久就明白了事情的真相，但是需要证据，他命令他的干探逮捕孔米色连科——绑小加斯普的匪徒之中最年轻的一个——把他带到领事馆里。孔米色连科在领事馆里不但供认不讳，而且把供词写下来，签名在供词上。他被立刻释放了。第二天副领事亲自去见警察厅长，正式控告绑架小加斯普的匪徒及关系人，并呈递孔米色连科供词的抄本。

警察厅通知了宪兵队，宪兵队立刻派人押解孔米色连科到离哈尔滨六百里的大黑河（接近苏联边境）去逮捕沙保雇用的干探。（其中的乞米斯台乞先生，到一九三六年我离开满洲的时候还在监狱里面。）

第二天，日本人所办的两个俄文报，《哈尔滨时报》和《我们的路》，就开始攻击沙保先生，说他是共产党、犹太人等等，一直继续了好几个星期。所谓法西斯党员之一甚至要求沙保副领事来决斗。

然而，这绑票案的消息已经流传外国，英、法、美各国报纸都登载了这种暴行。东京政府，有时显然还是顾及舆论的，命令设法结束这事件。于是，我的长官迫不得已下令逮捕沙保副领事向警厅控诉的那几个绑匪；而且在十月九号，把马尔丁诺夫和山达尔关在牢里，其余的匪徒仍然逍遥自在，说是不知去向。那两个东西都硬说他们不知道小加斯普被绑在什么地方。

同时西蒙加斯普仍然在幽囚中，那父亲和宪兵队之间的谈判也在进行中。

年轻的牺牲者写了十几封信给那父亲，但是这老人不顾儿子的请求和一切恐吓，仍然坚持非到儿子释放后不肯缴款。他太过自信，甚至扬言他们会不要他的一个钱就把那孩子送回来……而且，还要道歉咧。

这种夸大的言词成了致命的伤害。当那长官得到这消息的时候，他沉静地说道：“加斯普从此不能再见他的儿子是活的了，纵然他愿出一百万。”

况且，还有别的一些理由，日本人不能让他活着。他们现在绝不能释放他，因为他曾经和中野以及宪兵军官们说过话。小加斯普现在已经明白绑他的并不是俄国人而是日本人……不，不，他们现在绝不能释放他……他会说出……

因为恐怕法国副领事所雇用的干探和加斯普的家丁家将会发现小加斯普被拘的地方，日本人把他迁移了好几次。

尾井大佐，铁道警察局的“高等顾问”，其实是真正的局长，现在加进这场面里来了。尾井大佐是名符其实的君子——在满洲国的日本大员之中很少有的好人之一。虽然他是位高权大，管辖着铁道沿线好几千公里的，他却慎重行施职权，严正无私。……他严禁部下使用别的警察机关所惯用的酷刑。对于在他属下的人员，不论国籍，他是一位谨严廉明的上司。即使是仇恨一切日本人的中国人也不能不敬爱他，在他管辖的铁道地区以内，绑票的事是没有的。在这大佐的领域之内，任何日本人要是任性胡行，就非即刻被遣送回国不可。大佐不但不赞成其他日本军事当局的暴虐，而且不惮于直言指责。“叫他们回国去胡闹去吧。”他常这样说。因此，别的警察机关的人员在铁道地区之内都不能不正当行事。

当沙保向警厅控诉绑架小加斯普的匪徒的时候，宪兵队把孔米色连科押解到大黑河。而这地方是在尾井大佐管辖之下的，所以他下令逮捕孔米色连科，把他带到哈尔滨铁路警察局来审讯，这罪人又把他向法国副领事供认的供词复述了一遍。

尾井大佐把这绑匪亲自签字的第二供词转交给日军特务机关长。

事情已经到这地步，宪兵队还是不顾一切，并不放弃从加斯普得到赎金的希望。最初要三十万，后来逐步减低，从十五万、十万、七万五千，以至五万，但是那老人仍然固执着，要到他的儿子回家以后他才肯缴出三万五千元。

一九三三年十一月廿八号，尾井大佐得到情报，绑架小加斯普的两个匪徒，比斯鲁乞可和赛亚兹夫，常常经过哈尔滨旧城车站。当夜他下令逮捕了他们，正当他们要上车到小林去的时候。这时小加斯普幽囚在小林附近，由吉里兼科和加留斯科看守着。当他们看见火车到了而来接替他们的比斯鲁乞可和赛亚兹夫并未到的时候，他们初而怀疑事情不妥，后来就十分焦急起来。吉里兼科比较更为敏感，三番二次地到车站上打电话给中野，讯问为什么那两个同党不来。但是中野不告诉他那两个人已经被捕的事；他单是要他不用着急，耐心等待。

当吉里兼科出去了的时候，加留斯科单独守着小加斯普，向后者提出他自己的交易。

"倘若你的父亲肯给我一万元，我可以把你放掉，那么他就不必交一个钱给宪兵队。"

"你要我怎么办呢？"

"把这意思写一封信给你的父亲，由我送去。"

这事立刻办好了。

当吉里兼科打电话回来的时候，他觉察这两个人的神色古怪，疑心他俩之间有些交涉。当加留斯科固执着当晚就要回哈尔滨去的时候，吉里兼科就更加疑心，但是不说话，暗中决定在加留斯科未走以前再打电话给中野。一点钟过去了。吉里兼科又焦躁起来……他终于又到车站上去打电话给中野，把他的疑心告诉他。中野要他告诉加留斯科在五点钟的时候到铁道货仓附近来见面。

中野带着一个日本宪兵和孔米色连科（又释放了）到了这约会的地方。加留斯科被抓住和被搜查了。小加斯普写给他的父亲的信被查出来了，但是那是用铅笔写的法文，这四个人只懂得一个数目字："$10，000"。

这就足够使万事明白的了。中野拔出手枪，打破了加留斯科的头颅；然后他写一个信给吉里兼科，命令他杀掉小加斯普，即刻转回哈尔滨，他将要给他护照和钱到别的地方去。

执行了这命令，那凶手就由宪兵队给他一张假名字的护照到北方去了。但是他去得不很远，十二月十八号，他在呼兰车站被尾井大佐派人捕去了。

因为要解释加留斯科的死，宪兵队宣称他是抗拒警察的拘捕被枪杀了的。

加留斯科被中野枪杀后的第二天，拉佐伊夫斯基到我的家里来取小加斯普用铅笔写的法文信的译文。这信要求他的父亲交一万元给加留斯科，祈求他不要有所延误，以致危及他的生命。这孩子确信加留斯科是能够履行他的约言的。

十二月三号，宪兵队声称小加斯普已经被杀了。他的尸体发现在掩着一层薄土的浅坑里面。我从来没有见过这样可怕的光景。可怜的孩子呀，落在非人的匪类手里，必定受尽苦刑了。九十五天的幽囚时光把他消磨成一架骷髅，这体面的廿四岁的青年已经不成人形。北满十一月达到零下廿五度至卅度的严寒已经冻裂了他的面颊、鼻子和双手，以至肉块崩落。他的耳朵是被割了的……在九十五天之中他不曾梳洗过一次……看着他的形容，想到他的精神的和肉体的痛苦，这死使我感觉到他不能再受苦了的喜悦。完结这孩子的生命的那一粒子弹，或许是他的那一段悲惨生活中的唯一的慈惠。然而，悲剧并未就此完结。

那孩子的衰病的母亲已经离开巴黎来哈尔滨，希望能够营救她的儿子。十二月三号她到上海；四号的早晨，在汇中饭店（Palace Hotel）里早餐的时候，她看见《字林西报》（*North China Daily News*）上载着她的儿子被害了。

当那孩子的尸体移到哈尔滨的时候，那父亲不顾朋友们的劝告，硬要把棺材搬进他的家里，想要再见一面。他揭开那棺盖，一阵惊骇使他立刻昏倒，发出一声癫狂的绝叫。

我被监视了

哈尔滨的愤怒达到白热点。不但是犹太人，所有的俄国人、中国人、高丽人，甚至有些日本人，全都痛愤这种无话可说的暴行。全都公开诅咒日本军事当局应负这绑票和谋杀的责任。公众打算在这牺牲者出殡的那一天举行示威运动。日本军事当局从齐齐哈尔调来了二百五十个宪兵和一联队步兵来增强当地的警卫。

哈尔滨从来没有这样的殡仪。不顾日本当局不许殡仪通过大街道的禁令，不顾大队军警，哈尔滨全体市民都跟在灵车后面，一直到犹太人墓地，各处都听见高呼："和日本军阀拼死！""和这些野兽拼死！""和这些混账猴子拼死！"

考弗曼博士（Dr. Kaufman），许多犹太团体的首领，发表了葬仪的演说。他用辛辣的字句斥责谋杀西蒙加斯普的卑怯的绑匪们以及在幕后庇护他们的人。

第二天，考弗曼博士被传到日本特务机关里，受尽了他们能够想得出来的辱骂，恐骇着要驱逐他出满洲。拉佐伊夫斯基在那邪恶的《我们的路》报上写了一个长篇论文，要求逮捕博士治罪，因为他侮辱那些爱国的俄罗斯人，而那些爱国者不过是杀了一个肮脏的犹太人，一个“第三国际”的间谍的儿子，云云。

日本军事当局不准把那六个绑匪送到法庭去受审判，不过为安全起见，把他们押在刑事警察的监牢里。他们一直在那里安住了十五个月，始终没有受过审判。

在监狱里，他们是受特别优待的：饭食都由附近餐馆送进去，每天接见亲友。甚至谣传夜间他们被放出来绑票或做有利于宪兵队的其他罪行。

我相信这是真的，因为我有如下的理由：

一九三四年六月的一天夜里，宪兵队的原少佐和我，随带两个俄国情报员和四个日本宪兵，以及影的二十五个土匪，正在离哈尔滨几公里的小村阿希希里搜查苏联侨民的家宅。

忽然，我们看见一群人从对面走来。原少佐命令我们隐藏起来，等待他们的接近。一会之后，我们围住他们，我们的步枪都用预备放的形式对准他们。一个日本人走上前来，而且当他对原少佐解释一切的时候，我走近那群人去仔细一看，看见一男一女，都是欧洲人，被反手绑着。还有三个我不知道的俄国人，以及我所认识的山达尔和吉里兼科。

几句话说完之后，原少佐让那一群人通过了。因为他不说什么，我不知道那两个被绑的是谁。……

然而，法国领事、加斯普家属和外国报纸都继续抗议，要求把谋杀西蒙加斯普的凶犯交法庭审判，以致东京来了一通命令：六个罪人必须移交满洲国司法当局。起诉状是由有名的刑事科长奥下卫起草的；这科长正是每年缴纳十万元以维持地位的人物，一切俄国的、中国的、高丽的和日本的匪徒的秘密的同谋者。那起诉状真是无耻的杰作。六个罪人被称为："最正直善良之国民，曾竭其大半生之精神致力于反共斗争之真正俄国爱国志士。倘彼等果有绑架西蒙加斯普之事，则其动机绝非为个人之利益，而实为供给反共团体必要资金以继续其反布尔雪维克之崇高战斗也。本案事实俱在，盗匪条例并不能适用彼等，因彼等并非盗匪故也；不宁唯是，即作为政治犯，彼等亦不能负被控之罪责。凡所控斥果何事乎？被告等曾犯何罪乎？（辩诉状在此并不提起绑票的事。）伤害罪乎？……割加斯普之耳者加留斯科也……而加留斯科已死……不能负此罪责。……谋杀罪乎？谋杀加斯普者亦该加留斯科也……法律将无所施矣……勒索财物乎？……则加斯普并未交付一钱。诚如上述各情，则被告等所犯唯一罪行似为‘意图勒索’……然事势所需，情有可原，盖此种‘意图’并非起因于私人利益而乃纯为政治理由也；而此‘意图’之对象乃一公认之共产党犹太间谍，一赃物收买者，一社会公敌……尊亲之罪自来报应于其子孙，西蒙加斯普已偿其父之恶……被告等爱国心切，见义勇为，情有可原，似应从宽……”

哈尔滨领事团全都斥责这“起诉状”为横暴无耻。满洲人民都十分恼怒。刚直的尾井大佐认为这样文件是日本的耻辱。（大佐和我已经成为朋友，而且常常要我帮忙他。)

六个被告终于移交高等法院，收监在牢里了。

虽然那些法院都是在日本“顾问”们统制之下的，哈尔滨的中国法官有时还是敢于鼓勇向“顾问”们提出异议的，倘若觉得“法律和公道”过于偏在他们那一面的时候。

绑架加斯普的杀人犯已经提交中国法官审判。法官们不满意于日本人所造作的一面之词，决定由法院自行调查具体事实。但是这是极困难的事体，因为到处都是日本密探和奸细。那时我的长官就对我说过：

“你知道高等法院长要调查那六个被告的历史么？他显然怀疑奥下卫的起诉状的正确性。唔唔！他以为他比我们更聪明……我们瞧着吧。我已经通知各种警察机关，凡遇法院来调查的时候，他们必须遵照奥下卫所拟的起诉状。不过，我想主审法官正在收集官方以外的材料，所以我要你做一点事。我要你派人去监视那三个法官的住宅，而且拘捕去访问他们的一切嫌疑人。我不愿再发生沙保那样的事情。”(法国副领事沙保因为揭发绑匪，已经由日方认为“不同意的人”，被法国政府调到天津去了。）

因为要救援同谋的匪犯，那长官命令我设法蒙蔽中国法官。

第二天，我请求我的一个朋友把我介绍给三个中国法官之一，我想要供给他关于那些被告的种种情报。他很高兴地接受了这提议，一星期之后我交给法官一切必需的文件，证明被告等与政治向无关系；证明他们是最危险的刑事犯，最恶劣的积匪；证明马丁诺夫在六个月以前曾经奉宪兵队长之命杀死阿格诺夫上校，杀死十多个中国的和俄国的富人；证明山达尔和吉里兼科是娼寮主、白奴贩卖者；证明这些匪棍全都属于日本宪兵队所组织的一个暗杀团；证明割掉加斯普的耳朵的是山达尔，证明杀死那被绑孩子的是吉里兼科而不是加留斯科。

在长期审判中法官们屡次和我秘密接洽，因为要求解释和说明某几个问题。

我也把孔米色连科、赛亚兹夫、比斯鲁乞可和吉里兼科在尾井大佐的铁路领域内被捕搜获的他们身上的文件交给法官们。这些文件分明证明这四个绑匪是宪兵队的特务员，因此谁也不能干涉他们的往来。因为没有这些文件这些匪徒是不能在铁路上随意往来的。在满洲境内，没有证明旅行目的的必需文件是寸步难行的。

审判一直迁延不决，而日本人十分奇异法庭所得情报之多。

二月二十六号，我接到法西斯党领袖兼《我们的路》报主编的一封信：

范士白先生：

本党认为阁下之所为，实有背吾人之主张而偏袒犹太。阁下身居高位，固当知其为所当为也。

相应函达警告，务请停止有害吾人认为爱国同胞之所为。

法西斯党领袖　K. V. 拉佐伊夫斯基

一九三六年二月二十六号于哈尔滨

这封信使我惊疑了。当我访问那些法官的时候有谁跟踪着我么？哪一个法官曾经泄露了什么了么？倘若他们知道了……究竟知道了多少呢？不如把这故事揭开吧，我把这封信交给那长官，他微笑了，说道：

“你不必把这信看得太认真。你知道拉佐伊夫斯基是一个蠢才。或许有人看见你去巡察你派去监视法官住宅的那些人，就以为你是去供给法官们关于被告们的情报。”

看见我的长官并不怀疑我，我加添说：“每次我在法庭旁听之后，我觉得法官们的消息很灵通，我就到他们的家宅里打听有没有什么通风报信的线索。”

那长官就打电话，用日语说了几分钟之后，转面对我说：

“我刚才通知宪兵队长，叫他告诉拉佐伊夫斯基专心于他自己的事情；并且说明你去访问法官是奉了我的命令的。”

一九三六年三月四号半夜一点钟的时候，我从一个中国的庙子里出来，因为我去访问一个被日本人逼迫做和尚的中国大员。我忽然迎面碰见孚托普洛（希腊人），日本人指派在马狄尔饭店里的侦探。我嘲讽地问道：

“这时候孚托普洛先生还在这周围干什么呢？”

“我在这附近和一个朋友谈话，在那里耽延得太晚了……你，范士白先生，这时候在庙里干什么呢？”

“你必定知道的，这庙里有许多重要人物，而照看他们是我的职务。我常在这个时候到这周围来，因为逃走往往是在夜间。”

“夜间也是密谋的好时候。”

这“新鲜的”答词使我很不愉快。这不成东西，只不过是看门材料的糊涂希腊人也要和我比赛俏皮了；我决定把他放在他应该去的地方。

“孚托普洛先生，我想要和你多谈一谈；倘若明天早上十一点钟你有工夫，请到我的家里来。你高兴来就来吧。”

“高兴的，范士白先生，高兴的。我一定来。”

第二天，当他和我坐在我的花园的一条凳子上的时候，我说：

“孚托普洛先生，我不知道你知道我的一些什么，而我也不留意这个，但是你应该知道一件事。七年前你到哈尔滨的时候，连衬衫都没有。你看见没有一个端正的欧洲人愿意和你来往，你才去替中国人做事……那中国人使你赚了两三万元钱。你就神气起来，自以为已经不需要中国人了，因此又变为光蛋。而那中国人并不厌弃你，像兄弟似的看待你，帮助你，倘若你今天能够会见上等人们，那全是中国人的扶助你成人呀。你现在怎样报答他们的好意呢？……事实自然会说明。自从日本人来了以后，你就奉侍他们，学他们的样从早到晚鞠躬而又鞠躬。溥仪登基的时候，你是上表称臣的唯一欧洲人。况且，你不让一天空过，总要使待你如兄弟的中国人吃点苦头。这还不够，你还要设法中伤仍然忠实于中国人的那些人。这种行为很使我的一个朋友不快活，他要我把你介绍给他，他要给你一个警告。”

说着，我就转面对着一个正在观看过往的人们的中国人，叫道：

“影先生。”

影走上前来，规规矩矩地向孚托普洛鞠了一躬。介绍之后，影就用爽快的音调说：

“孚托普洛先生，我的最亲爱的朋友范士白先生告诉我，说你近来自讨无趣，招惹是非。你的这种胡闹已经妨害范士白先生的睡眠。范先生和我是血盟兄弟，我必须使他舒服地睡觉。现在我要邀请妨害他的安眠的人去做我的宾客，他要我在本星期六杀掉那混蛋。我不愿见你处于同样景况，孚托普洛先生……生命是这样甜蜜！瞧！……春天到了，……花都开得很好看……我希望范先生不发生什么不快；倘若有什么不快，一点钟之内你就要去做我的宾客，去和我过你的最后的日子。”

影鞠躬，走了。

这希腊侦探骇得面无人色。他坐下，呆看着地面，自言自语地说：“影？……影？……影？”……

然后他望着我，歇斯底里地说：

“范士白先生……我向你发誓……范士白先生……我绝没有伤害你的意思。我不过是遵从中野的命令……中野反对你。他说他想要设法逮捕你。……他说他相信你供给法庭关于加斯普绑票案的种种事实，以致他的名字在法庭里提出过两次。”

“谁告诉中野我供给情报给法庭？”

“我不知道……我并没有告诉他。我请求你……请你告诉影我并未反对你……你要留心中野那家伙，他以为你和游击队有关系。”

我已经使乎托普洛原形毕露，但是我的成功只是暂时的，我知道。不过几个月之后，他就趁机报复了，几乎送掉我的性命。

绑架西蒙加斯普案于六月间宣布判决。不顾日本人怎样设法把这案件转交为政治问题和爱国主义，中国法官却认定这是寻常盗匪的绑票和谋杀。按照法律，罪人们四个被判处死刑；两个终身监禁。

全市都欣喜这消息，但是这欣喜并不长久。两天之后，我的长官就逮捕了主审的法官们，宣告判决无效。六个月之后，三个日本法官推翻原判，以被告等所为出于爱国热忱为理由，释放了那些绑匪。

第十三章

钱——来得不易去得快

然而，绑票不过是榨取满洲膏血这伟大事业的一个旁枝小道而已。

顶重要的是“必须买卖日货”！

“满洲国”的每一个商店都逼着经售日本制造品。日本的各大输入公司把大批日货分配给一切商店，掣取收条。每个星期都有一位代表人前来巡查售卖情形。倘若日货没有卖出去，或者卖得太少，日本宪兵就会来干涉，甚至关闭店门。

“必须买卖日货”的这种办法，不但通行于中国的和俄国的商店，而且也推行于英、美、法各国的公司。不论国籍，“必须买卖日货”！

倘若“必须买卖日货”，当然必须阻碍买卖别种货物的喽。这是日本的政策，完全蔑视自由竞争原理的政策。

日本人已经完全统制“满洲国”的关税之后，又竭尽全力阻止外国货的输入；倘若闯过一切难关输入了吧，他们就设法使它们又脏又破。即使经过无限麻烦和留难之后，外国货终于从关税货仓里搬运出来了，同时也就破坏不堪，不能出卖了。倘若是酒吧，就打破瓶子；倘若是布匹吧，就污秽得一塌糊涂。机械品成为不中用，罐头上通洞，桶上脱盖子，包裹被撕开等等。

秋林洋行（Tschurin and Company），由俄国商人主持开设于满洲各大城市，是在英国的汇丰银行（The Hongkong & Shanghai Banking Corporation）管理之下的，因为前者欠了后者五百万元。所以秋林洋行的商店全都挂着英国国旗。

这是日本人很不喜欢的，他们无法反对汇丰银行。然而，总要做点事情摧毁这强有力的商业机关；于是……逮捕洋行经理卡西亚诺夫和三个主要股东：开切也夫、巴宾索夫和塞马诺夫，以及他们的妻。八个人被抛入拘押最恶劣的刑事犯的一个大土牢里。他们不断地受打受刑，一直到他们承认了日本人所提出的条件为止。

哈尔滨有两个英文报纸，一个叫做《哈尔滨论坛》（*Harbin Herald*），主编人是英国记者辛博森（Lenox Simpson），以普提南卫勒（Putnam Weale）的笔名著称。因为他批评日本人的高压手段，他的报纸被命停刊，印刷机件全被没收，他自己也被驱逐出“满洲国”境。他去到大连进行收回财产的事宜。他的案件被提到英国国会，以及上议院。伦敦向东京提出抗议，那结果就和狗吠月亮一样：日本拒绝偿还。辛博森现在还在大连。

哈尔滨的另一英文报是《哈尔滨观察报》（*The Harbin Observer*）。主编人是弗理特（B. Hayton Fleet），他竭尽一切力量维持他的报纸出版。他甚至绝不许对于日本的任何评论出现在报上，然而还是不行。他屡次被日军司令部传去，受恐吓，受辱骂，甚至受抵制。但是他不顾一切，设法贴出和分送。终于毫无办法，他才离开“满洲国”。他现在上海主持“快讯社”（Fleet News Agency）。

日本人到处宣传他们并不关心国际联盟的议决案，但是，当国联的最后议定书公布的时候，他们气得发狂了。他们想不通全个文明世界怎样能够一致宣布他们是侵略者。这是可能的吗？他们的国家不是神圣的……武士道的……天皇的……么？世界竟敢斥责他们吗？

对于日本人的意识形态这是不可思议的，不能理解的。但是最使他们“摇头顿脚”的是这一件事：他们曾经穷思极想，显出日本人的“高贵”性质，设法愚弄那调查团，张起天罗地网，布景排戏，一切得意佳作都成了白费狗力。

那调查团毕竟看穿了聪明的日本人的遮眼法。那些“老太婆”不但能够接到一千五百件书面抗议，而且就在无数日本警察的鼻子底下接见各种人士。这对于最看不起蠢笨的英国人的日本人，确是一种不能忍受的侮辱。

李顿调查团不但宣布日本人是侵略者，而且在全世界之前显示了他们的真相：骗子兼强盗。他们的伤心是难以形容的——吓，这些天照大神的直系子孙。在世界的各种下劣民族之前，被公开宣布为侵略者、骗子兼强盗，这是可以引起普遍的“哈啦乞里”[1]的；我所听见过的日本人咒骂调查团、李顿爵士、英国人、犹太人和共济会[2]的言词是足够编成一大部混账百科全书的。

调查团报告书公布之后第二天，我去到我的长官的办公室里，他把我从头到脚看了一遍，说道：“你读过调查团的报告书了么？”

我说我读过了。

“倘若你真读过，”他大声说，“而且懂得它对于我们的意义，那么你应该自杀。你去吧……我没有别的话说。”

我出来了。我想自杀是一件颇为严重的事体，不能随便的。必须有迫不得已的事由，而且要用适当的方式。日本式是切腹；意大利式是放一粒子弹进头里面；中国式是吃毒药。我是意大利人，入了中国籍，替日本工作，要从这世界转入那世界，必须想出一种不但不伤这三种人的感情而且得到他们的赞赏的方法才好。这问题真困难极了。或许，当日本人知道我对于他们的行为有这么

[1] 日本武士的“切腹”自杀。

[2] 外国侨民团体。

好的记忆力的时候，他们要试行解决我的困难的吧。

我两天不见那长官，心平气和地默想自杀，而他也不叫我去。第三天早晨我接到一个紧急的传唤。他的传唤总是紧急的。当我走进那办公室的时候，我看见另一个日本人和他在一处。长官亲热地和我握手，而且要我坐下。然后他说：

“范士白先生，我已经奉召归国，明天就要走。从今天起，这位绅士就是你的上司。我已经告诉他你的工作和你的优点，而且我以为你能够继续做下去，或许，甚至比我在的时候做得更好。”

我的新长官和我交换了几个客气的鞠躬。他似乎五十岁了，真正蒙古型，有一撮毛髭髭的胡子，总之，一副不算难看的嘴脸。

用发音不很正确的俄国话，他说：

“范士白先生，倘若我没有记错，我们从前曾经会过……一九一八年在西伯利亚的伊尔库次克。你那时是和英国的司蒂芬少佐、加拿大的韦伯大尉在一起。我是和日本的特务机关在一起。”

虽然他所说的事实是对的，我不能不自认我不记得那时曾经会见他。

“明天晚上十点钟来看我，现在我要接见别的特务员。”

我的旧长官送我到花园门口，表示他很赞赏我的工作，说我有一个伟大前途……“我已经把你推荐给你的新长官；我相信他将要喜欢你……好，再见，我希望你对于我有良好的纪念。”

我说那是一定的，然后我们握手而别。

第二天，我的新长官告诉我的第一件事是：

“李顿调查团的报告书弄得许多官员去职了。你的前任长官就是其中之一。我就任北满情报局长之后，曾经辞退了许多特务长，我希望现在留任的这些可以做出好工作来。你是留任的，我希望你不负所托。现在留心听我说吧。

“为了那国联议定书，东京的许多人责备满洲的日本当局不能阻止调查团接到几千封信和几百次接谈。我不相信这个。即使李顿调查团没有接过一封信或接见一个人，那议定书也一定是同样反日的。国联是由犹太主义和共济会之类组织起来，加以支持、推行的；还有英国、法国……都是同样的东西。造成国联决议的是犹太人和共济会，不是别人。国联已经造成它的决议……我们也有我们的决议。我的纲领是这样：

“从今以后，在满洲国内绝不让犹太人、共济会员，以及他们的同情者有片刻安宁。必须毫不犹豫地用间接方法使他们受迫害，受痛苦，受侮辱。我们要尽其可能地使他们不能生活。我们要表示给那些骗子，我们日本人能够反击和硬干。从明天起，我已经命令我们的两个俄文报纸开始一种无情的斗争，反犹太，反共济会，反青年会。每天必须绑架犹太富人，勒索巨款，我的前任要求的太少。共济会和青年会必须关闭；‘满洲国’对于这些肮脏流氓太好了……纵然他们不赞成共产主义，反正是同样东西……从现在起就开战，绝不纵容……叫做影的那中国人在哪里？”

“他带着五百人在呼兰附近。”

“在那里干什么？”

“他在那要肃清四个中国乡村，预备给几天之内就到的六百五十个日本移民去住。”

“他在那里多久了？”

“两个星期。”

“两个星期？……扫除几百个烂中国人，要两个星期么？像这样的工作两天就尽够了。打电报叫他把队伍交给他的副手暂行带领，要他带五十个人回哈尔滨来……”

不错，第二天的《哈尔滨时报》和《我们的路》就开始毁谤共济会、犹太人以及青年会。要复述他们骂青年会的那些臭话是不可能的。青年会那时在美国人海格（Haag）先生的能干的指导之下已经成为第一流的学术机关。在这卓越的指导者的辛勤经营的十五年之中，这会初而设立小学、中学、高等专科以至成立工科、理科和文科学院；当然同时也配合发展着青年会的正常活动，以各项运动而论，在哈尔滨都居于首位。

海格先生和他的夫人是人人敬爱、处处欢迎的，不但在哈尔滨如此，在全满洲都如此的。然而，最恶劣的辱骂还是喷向这一对可敬的夫妇。这些报纸毁谤青年会的男学生习食麻醉品，多半是流氓小偷；毁谤多数女学生是娼妓……

日本人的报纸的编辑拉佐伊夫斯基看见他的一切下

流毁谤并不生效，于是施用暴力：几个男学生被法西斯党员殴打了，几个女学生被公然侮辱了。

这种情形一直继续了两年之久。但是海格先生有什么方法抵抗以日本宪兵为后盾的匪党呢？被威骇的青年人们逐渐不敢到青年会的学校里去了，一九三五年中海格先生被逼迫得非离开不可了。青年会现在仍然存在哈尔滨，但是已经日本化，学生数目不及从前十分之一。

哈尔滨共济会的会员百分之八十都是外国人：英国人、美国人，有些丹麦人，五六个俄国人。日本人所有报纸都加紧攻击他们。可敬的会长尼维尔先生，哈尔滨一般人所尊重的七十多岁的英国绅士，受了最荒唐的毁谤，他的儿子也遭遇着同样的情形。俄国的共济会员受尽各式侮辱之后又被恐吓，被强迫退出。

对于青年会和共济会的攻击固然是可鄙可憎的了，而日本式的侮辱在攻击犹太人的团体中才达到高度。

考弗曼博士，满洲的希伯来人联合会会长，一个最有教养的学者，被日本人所有的报纸每天继续咒骂了好几个月。他屡次在街上被日本人所雇用的俄国人所袭击。我的新长官指派两个俄国匪徒在夜间去打毁两个犹太人会堂的一切窗子。窗玻璃迭次重装，迭次打毁，以致终于放弃了一切修复的计划。宗教仪式都在破窗子里举行，在零下三十度的严寒之中。

影带着五十个人驻在哈尔滨，他的任务是绑架中国富人勒索巨款。他的其余的人分为两股：一股在中东路东段袭击列车，妨害苏联运货到海参崴；另一股活动于伊兰北方地区，用恐怖方法迫使中国农民让出肥沃田地给日本移民。以地契不合为借口，二十多万亩好地全都从中国人手里没收过来了。

不抵抗就让出来的中国人每亩得到代价一元；不接受这代价的中国人就由日本土匪加以驱逐。

但是土匪事业不一定是容易的。一九三四年三月，土匪奉命驱逐土龙山区的中国农民。农民们联合一营游击队在暗中等待着他们。一场激战之后土匪大败而逃，遗弃一百多具死尸。

日军司令很不高兴这回事，他命令负责伊兰佳木斯警卫的一位日本大佐率领一中队日本兵到土龙山，联合当地守备队剿灭中国乱民。但是土龙山的守备队是由满洲人组织成的，队长是一个叫做李耀中的中国人。当大佐带着队来的时候，忽然被这守备队和农民所袭击。大佐和每个“皇军”都被消灭了。

一个月之后，十架日本飞机持续轰炸三个乡村两天之久，使它们化为灰烬；然后日本兵来了，跟着来的是日本移民。

这些移民是些什么人呢?

据日本参谋部的说法，他们是从品行端方和身体康健的人们之中挑选出来的，而且曾经受过独身两年的训练的。大概是一批模范青年了吧。其实他们的本乡邻人就最欢喜和他们离得越远越好。其中或许有几个可以称为农民的吧，但是全不知道怎样栽种大豆、高粱以及其他当地农产物。他们的收获少而又少，以至没有……但是这有什么困难呢?……中国农民正在丰收咧……在军警宪兵以及什么队的监视之下，丰收的大豆高粱搬家了。

日本移民拿去了全部中国农民的收获并不满足，还要架走年轻妇女。

有些日本移民好像恐怕中国农民的生产品上有刺，绝不轻易动手，务必强迫中国农民全家来替他们收拾打劫来的东西，这种工作的唯一报酬是刚刚可以维持身体和灵魂的一点食料。全体收获连人身从此归属于日本地主。

一九三五年十月二十六号，宪兵队的井上少佐和我，带着二十个兵士，到大东沟去调查七个日本移民被杀的事。照例，毫无证据，少佐就说要轰炸这村子。

在回来的路上，我们在葡萄棚附近遇见四五十个中国人，其中有些小孩和妇女，由八个日本宪兵和几个日本“农民”押解着。少佐拦住他们加以讯问。有一个好像是头领似的日本人就镇静地答道，这些都是前两天从他的田庄上逃出去的佃户，宪兵捕获了他们，现在正在把他们押送回田庄去。这些逃亡者的模样是凄惨的。我看出他们是被毒打了；干的血和尘土沾在他们的脸上和手上。井上少佐不说话，也不惊异，更不同情。中国人算什么呢，不是该被神明之胄……武士道剥削的牲畜么？

但是，纵然拘捕、用刑、谋杀、摧毁、没收、绑票、清剿和大屠杀，无所不用了吧，征服满洲对于日本确是完全失望的，文官武将，穷人富人，都感觉幻灭了。满洲曾经是梦中乐园，如今却变为无穷重负，一个价值巨大的财产变为一种无限债务了。他们驱逐或杀中国农村中的中国人，忘记了那些农村是因中国人而繁荣的，并不是中国人因那些农村而繁荣。中国人为自己而工作的收获和中国人被死刑胁迫而工作的收获是大不相同的。每年从山东流入满洲的无数农民已经完全停止了；其实是倒移回去，说不尽的日本人的迫害使他们不能不回去。一切商人工人也是在这情形之下。总而言之："为什么做工呢，专为供给日本人劫掠么？"

而军事费用是一切负担中最重的负担，对于这一点日本人感觉到很酷烈的苦痛。他们以为占领一年之后，只要两个师团陆军加上宪兵就足够维持满洲治安了；他们以为几个月之内就可以肃清游击队和土匪；他们以为苏联红军一度示威之后就会退出边境的。现在一切都出乎意外，没有一件是如愿以偿的。想望中多汁的甘蔗实际是干硬的竹枝。六年之后的今天，无论驻着多少师团军队、数十万宪警，满洲的游击队和义勇军却比以前更增多，摧毁了日本的每件东西，以至日本视如珍宝的南满路也常被袭击。

苏联政府遣派三十万近代的精兵常驻在满洲边境上；日本不能不时常准备至少二十五万人对付他们。这种庞大的军费怎样压迫着日本，是可以从南次郎大将在海拉尔的演说中得到明证的。他对集合的军官们说道：

“你们必须随时随地准备着，现状是不能延长下去的。日本不能继续每年花费巨额军费，仅仅只为维持大军准备对付苏联。必须签定不侵犯条约和撤红军，否则我们就得用暴力，由我们自己把他们送回家去。”

钱——即使没有血污也是脏的

我的新长官似乎是一个很安静、温和的人。他从来没有疾言厉色，甚至当骂人的时候他也用牧师说教似的优柔声调……但是一说到钱就气势汹汹，毫不妥协……弄钱……弄多钱……越多越好，不论什么方法。“日本是穷的，很穷，”他常常对我说，“我们的第一个任务是减轻我们的庞大军费的负担。我们占领满洲花了许多钱，我们的军费……全部军费……必须由满洲人负担。”

弄钱！弄钱！多多弄钱！……加多独占……加多绑票……加多搜刮……钱……钱……钱，日本军队必需钱，宪兵要钱，警察要钱，现在每个人都忙忙碌碌去弄钱！！

绑票案多到使满洲各大城市都处于恐怖的暗影之下。日本人散布谣言，把一切责任推到土匪身上。但是谁也不信，人们全都知道日本当局才是真正的绑匪。

当初只是密谈的非议现在都昌言不讳了，尤其是外国人方面，他们毫不客气地把这一切暴行的责备之词送到日本人的门上。宪兵和警察所雇用的绑匪的名字，藏匿被绑的牺牲者的地方，都被公开指出来了。哈尔滨领事团迭次举行会议，讨论绑票和独占，而且有几个领事还提出证明日本当局主谋的文件。

一位中国太太正要到警察厅去请求营救她的被绑的丈夫的时候，在路上她遇见一个巡官就是代表绑匪到她的家里去交涉赎款的人。

一九三三年一月八号，在齐齐哈尔，几个强盗冲进一个中国富人的家里，把主人、主妇和仆役都绑在一个房间里，正在启开皮箱的时候，守夜人从花园里放了几枪，打死了两个强盗，其余的也就逃跑了。那两个死尸被认清了，一个是宪兵队雇用的俄国人，另一个是日本的“翻译官”。

因为和我的职务有关，我把外国人方面的舆情激昂和谣言繁兴告诉我的长官。他沉静地答道，他对于公众的喧哗毫无兴味。倘若那些外国人在“满洲国”不满意不快活，他们尽可以走呀。

然而，积日累月，舆论沸腾终于激起了这长官的注意。似乎东京有训令来了……这些凶险的谣言是必须设法阻止的了。

长官召集一切警务头领开了一次秘密会议，讨论一般情形，决定应付方略。

第二天，刑事科长在一切报纸上发表了如下的公告：

“扰害哈埠一带之绑匪业经查出，即著名积匪伐里司基与曼德里卡是也。警厅现正努力破案，将彼等捕获而绳之以法不过时间问题耳。”

大约有好几天之久，各报上继续发表刑事科供给它们的这种“奇异”新闻，描写那两个“人狼”、那两个“巨匪”，绑架多人，积案累累，说得有凭有据。而结语又都一致是“据闻两匪不久即将陷身囹圄矣”。

这些蠢透了的日本天才的创作影响了公众了么？一点也没有，人人都能够看穿这一层烟幕。“他们打算和我们开什么玩笑呢？”人们互相讯问。他们这样问，因为他们都知道伐里司基因为盗窃罪被判处徒刑三年，刚刚才从牢里放出来，而且绝不是什么“巨匪”。况且，刚才在牢里住了三年，怎样能够犯这样多的绑票案呢？

聪明呀，日本人！

至于曼德里卡呢？……那真不过是一个寻常小偷而已。是的！……开什么玩笑呢？回答终于来到了。

有一天午后，哈尔滨各报一致发出“号外”：那两个穷凶极恶、屡缉未获的巨匪——伐里司基和曼德里卡，在哈尔滨近郊的一个小房子里被警察所袭击，两匪顽强抵抗，发生激战。警方开枪一百五十余响，卒将该匪等击毙，云云。

于是报纸上又每天连续记载“激战”详情，以及探警们的英雄故事，甚至在匪巢内还搜获大批军火咧……从此，巨魁既除，领党星散……匪氛已靖，商民同庆，警察维护治安，忠勇奋发，诚当感谢。

我的长官与东京之间，东京与长春之间，往来了一些贺电训词；各个警务头领之间也往来了一些贺电谦词……大开宴会，庆祝警察的殊勋懋绩……升官得奖……喜剧而又喜剧。

是的！日本人是很有天才的！

其实，实际情形是这样的：

在那第一篇文章发表之前，伐里司基和曼德里卡就被刑事科督察长劝告离开哈尔滨市，去住在近郊的那小房子里，以便考察是否“确已痛改前非”。他俩遵命去住在那里，忽然被从窗孔里扫射进来的机关枪子弹打死。他们并无武器，也想不到日本人出此奇策。开枪的时候他们正在吃香肠和面包。伐里司基胸部中了三十一弹，曼德里卡背部中了十九弹。这一切都是我亲见亲闻的。

哈尔滨和满洲全都明白日本当局谋杀这两个可怜人的真实动机。因为人们仍然继续非议绑票，我的长官严令新闻检查处删去一切有关绑票的消息，并且训令警察逮捕讨论绑票事件的任何人。

命令是执行了的，但是，绑票情形更加恶劣，牺牲者纵然缴了赎金也往往永不再见，所以绑票事件仍然成为私相谈论的重要话题。

一九三三年四月八号，老徐邦基将军，一位百万富翁，曾经被我的老长官绑过几次，现在又被我的新长官捉了来。这回要他五十万元。六小时之内交易成功。我是中间人。

六月初，犹太富人夏波夫司基被绑。有三星期之久，不论怎样使他受酷刑，他都拒绝写信给他的亲友缴付宪兵所要求的赎金。结果，因为他们无法打破他的不付赎款的决心，他们把他交给两个俄籍特务员，押到庙台子去杀死埋掉。

然而，日本宪兵并不放松那可怜的寡妇，强迫她签定一张支票，由他们去银行里提取夏波夫司基的存款。银行拒绝支付，理由是他们不能证明夏波夫司基已死，并且进一步说道，人们有时失踪，后来又会出现的。

但是日本宪兵绝不罢手。银行要求证明夏波夫司基已死的证据……好……这是容易办的。他们就掘墓翻尸，把那头砍下来，放在江边预先布置好了的地点……

当然，当然，第二天早晨就被一个宪兵队特务员偶然发现了。

证据确凿，银行只好付款，宪兵队分得一半。

一九三三年六月中，我的长官要我命令影率领人马到蒙古去逮捕七个蒙古王公。七月九号，影带回来十五个蒙古酋长，把他们拘留了三个星期。在谈判赎款中做翻译的那中国人告诉我，日军司令部索到三百万元。影得到五万元的特别奖金。

然而一九三六年六月十六号，我的一个最热切的愿望终于得到满足了。影和他的全部人马拦住了一次列车，杀死了二十一个日本兵和两个官长，劫去了哈尔滨满洲国银行送到齐齐哈尔分行去的三十万元，从此影宣告脱离日本人。

钱——独占中之独占

日军占领满洲之初，一切“顾问”和“翻译”都是随便委任的，到了发觉这班混蛋每个都暴富了的时候，事情就变了。日本军事当局岂肯放过这发财机会。于是

“顾问”和“翻译”的委任就以一种投标办法来决定，谁出钱最多谁来干。

尼戈拉尼古拉维奇吉野，一个皈依俄国正教的日本人，是第一批委任的中央警察厅“高等顾问”，因为维持地位曾经呈交日本司令部五万元。两年之内吉野成为巨额财产的业主，银行存款超过三十余万元。

最发财的职位是刑事警察局的“高等顾问”。这职位由一个叫做卫下内的日本人占据了三年，每年呈交日军司令部十万元。

较小的警察机关的“翻译”之类，为维持地位每年呈交三千五千不等。

日本人，具有作恶天才，是无微不至的。他们设立了一个侦探网，专门秘察人家的喜庆聚会，譬如做寿、订婚、结婚、宴会、茶会之类。正在举行的时候警察到了：“这不是十个以上的集会么？”……“未经许可，非法集会，都抓起来。”人们在打纸牌或麻将也要抓，唱歌也要抓，因为扰乱治安……一切都抓，一切都必须缴付巨额罚金才得释放。

哈尔滨的情况已经如此不堪，许多人都停止待客或赴宴，作乐消遣都成问题了。

日本人又想出新花样来了。这就是“改换门牌”。几乎是每一个月，日本警务当局都要在各报上登一个布告，说是因为这样那样理由，各家各户必须改换门牌云云。这种办法时常实行于全“满洲国”内。警察挨家挨户来取下旧门牌换上新门牌，代价是一元大洋。门牌的样式是相同的，一片价值几分钱的薄铁，偏要换来换去。

每年将近春节的时候，勤苦的中国人常到松花江里挖冰来卖。哈尔滨居民各家都有一个冰窖，把冰藏起以供夏季之用。日本人来了，当然人们也还是随意到江里挖冰。

一九三三年二月，正当挖冰的时候，一个叫做高桥的日本人呈请日本特务机关，愿出一万元包办“松花江冰块专卖”。特务机关欣然批准，并且派兵把守江岸。凡是下河挖冰的人每百公斤必须交给独占公司大洋五角。然而，还有比这更气人的咧。

矶田先生是一位跃进的日本人，富有韬略。他原有一个玩具和漆器商店，可是不够满足，所以决意把它出卖给另一个日本人。成交的那一天他就呈请日本特务机关，愿缴纳一万元承办“哈尔滨烟囱扫除专营公司”。这就是说，凡自行扫除烟囱者无不侵害专营公司的“权利”。照例，特务机关批准了，并且派宪兵十名由矶田指挥，以便维护公司权益。从那一天起，哈尔滨每家门前就上演了这么一幕趣剧：

一个日本宪兵、一个翻译和一个中国工人来到人家门前敲门或按门铃。

“我们要见家主。”

“先生们要做什么？”

“我们要扫烟囱。”

“扫烟囱？怎的？我家烟囱是干净的……如果要扫，我们自己会扫。”

“你错了，先生。现在哈尔滨，要扫烟囱就得由‘烟囱扫除专营公司’来扫；我们是公司派来的。你让我们去扫吧，否则我们硬要去扫；要是硬扫了，你不但要出扫除费，还要处罚你抵抗官府罪咧。宪兵就在这里，还会有错吗？”

“扫除费要多少？”

“两块。”

“好，交给你两块钱，去吧，不要扫。”

三个人走了，又到第二家门前重复表演……门砰地关上了，家主说出一长串任何字典上都找不出的话。

哈尔滨最著名的骗子是山崎，一个肆无忌惮的坏痞，曾经为了邪恶的目的加入俄国正教。

有一天，他到特务机关本部去请求成立一种代客收债的公司，收卖各种支票、期票、借据、债票。他要求特务机关合作，愿呈交利息的百分之二十五。批准之后，山崎就在中国大街和蒙古街转角上开设了他的公司。

但是山崎可不耐烦去替别人收债。他按照票面价值的百分之二或百分之五收卖各种票据，真的或假的、到期不到期、合法不合法，一切不问。

一旦成为这些票据的合法所有人，他就进行十足收款，另加月利三分（即年利百分之三十六），这是“满洲国”所许可的。

以宪兵为后盾，山崎强占了一些房屋、商店、地皮和各种财产。

现在举一个例表明他的活动方式：

哈尔滨著名高利贷者波金，以七百元的代价卖给山崎票面价值二千五百元的一些票据，有的是假的，有的已经付过，有的已经过期好几年了。其中有一张是寡妇海尔尼克太太三年前向波金借款二百元的借据。海尔尼克太太早已把本利都还清了，但是波金声言借据遗失，不肯把它退还海尔尼克太太。他不还当时借据，却另给她一张声明还清的字据。

但是字据有什么用呢？山崎不但要她偿还二百元本钱，而且硬要她付给每月五分利的三年利息，加上手续费，总数八百四十五元。因为这可怜的寡妇有一座小房子，山崎就提议拍卖。

幸而海尔尼克太太的女儿偶然在我的办公处做事，她请求我帮助她。我趁着我的长官正在高兴的机会把这件事告诉了他，他答应了。

两天之后，海尔尼克接到山崎送还她的原来借据，附带一张还清的收条。

这是我的微力可以维持公道的唯一一件事，还有千百件是我无力过问的。

还有一个“侨民局”，完全在日本特务机关统制之下，而以一个有声望的白俄将军为局长。这将军被强迫做局长，没有任何权力。他所做的事不过是签名在日本人写好的书信上而已。这“侨民局”分为六部，职员全是白俄人。在满洲的人都知道日本人所以雇用这班白俄，主要的原因是他们全是刑事犯、骗子以及最恶劣的冒险家。

这“局”不但有权管理全体白俄，也有权管理在“满洲国”的每个欧洲人。

一切银行、公司、合作社、工厂、商店、饭店等等，都必须到“局”里去“登记”。除非他或她在“局”里登记过，就不能雇用任何人，也不能被雇用。

“局”里的一批“巡察员”经常去访问各种营业机关，随时要雇员们拿出“登记证”来看看。没有这文件的就被命立刻退职。结果：又是大批钱财流入日本特务机关的金库，因为各个工人、各个书记、各个银行和商店的雇员都必须纳税和交费给这“局”，同时也要呈报各业的详细情形。

作为附属事业，“侨民局”在全“满洲国”内发行各种彩票和奖券。

这“局”的另一重要事业是，在中国人和俄国人之中进行日本的宣传，同时组织一个完备的侦探网。因此这“局”在满洲和中国的各大城市中设立了事务所，经常传递情报。这“局”的数千职员全是日本宪兵的密探。

在北平、天津、汉口和上海的这“侨民局”的支局都不过是日本侦探的巢穴而已。在中国各租界行政机关中服务的白俄人，大多数都是向这“局”登记而且接受津贴的日本侦探。

在我替日本情报局做事的四年半之间，我经常接到这“局”在中国内地所雇用的侦探的情报。

在天津和上海，日本人所办的两个俄文报，《孚士拉景尼》和《斯洛勿》，都是由这“局”的侦探编辑的。

这“局”的另一最重要的事业从前是，或许现在也仍然是，组织和训练能够使用武器的白俄青年，把他们分成几队，在日本人指挥之下，到中俄边境去捣鬼，挑起“事件”，袭击国境，然后日本就提出这样那样抗议，把各种暴行的责任都归咎苏联政府，淆乱世界听闻。

为了训练这般白俄青年，这“局”设立了一个军官学校和两个干部学校。

因为职务的关系，我屡次去到苏联边境，都遇见这般穿着日本制造的苏联军服的白俄青年。他们常常劫掠满方边境的乡村，然后做出向苏联境内撤退的模样，使本地人们相信掠劫他们的确是苏联兵士。这欺骗是有效果的吧……他们不是穿着苏军制服了吗？……他们不是从苏联那边来的吗？……他们不是又回去了吗？结果：在苏联政府还来不及知道之前，日本政府已经向莫斯科提出强硬抗议了。世界各国的新闻纸上不大愿意登载这类“伪装”袭击。同盟社却哓哓不休……

有时也制造空中发生的“事件”。日本人把几架飞机漆成苏联飞机的形式。日本驾驶员驾着这种飞机飞过满洲境内，散下一些预备好的中俄文共产党宣传品，间或还落下一枚炸弹。自然，日本的调查员立刻就到了出事地点。于是搜集各种人证物证，证明苏机飞越满洲境内，放下炸弹和共产党宣传品。

东京又向莫斯科抗议……同盟社又忙于造谣……世人或许会以为那些苏联人真是又蠢又毒的吧。那就恰恰被和服袖子里的戏法所迷惑了。

“侨民局”治下的各种白俄团体曾经被派到热河、察哈尔、蒙古，去帮助日本人日本化那些地方。满洲铁路沿线也同样进行着这种工作。觉得中国人靠不住，常常加入游击队，日本人就雇用俄国人去做护路队。这局招集了大批俄国人，说是每月每人薪饷六十元，外加制服、住所，而且供给西餐。他们到了离开城市几百里以外，觉得情形和日本人所说的完全不同了。他们受着奴隶一般的待遇，住在畜栏里面，不唯没有西餐，中餐也很坏，所谓每月六十元连铜板也不见一个。于是他们也常常逃跑或叛变。

当哈尔滨到龙门镇的铁道正在建筑中的时候，一个白俄护路队叛变了。一九三三年八月十六号，在东北车站上二十一个护路队员杀了两个日本军官和五个士兵；他们带走了五架机枪和步枪，放火烧了车站。经过这“侨民局”的活动，在日军占领满洲的最初两年之内，曾经把几百个白俄人家移植到离海拉尔七十公里的所谓三河区内，就在苏联边界上。

这“局”曾经约定供给那些移民资金、农具、牲畜和住宅。然而，除了痛苦的失望而外什么也没有。迫得这些可怜的移民男女做了边境日兵守卫队的奴隶，供给他们奸淫胡闹。

这“局”所委派的那些移民的领袖叫做特巴许，是一个白俄的下级军官，已经自命为将军，曾经谋杀过十几个俄国人，说他们是共产党。

暴虐和压迫终于得到报应了。一九三五年八月，三河区的移民暴动，那里所有的日官日兵、特巴许和他的助手全部被杀干净。

第十四章

结局将至

我还有许多轶事，但是不便写出——因为事牵涉着别的人们，牵涉着几个曾经坠入日本人的圈套的外国领事，写了出来虽然赢得我的同类的好意，却违犯了别国的法律。

总之，我的劳作的结局就在目前了。一九三六年春间，加斯普事件宣判之后，显然有一阵风波向我袭来。我有什么办法呢？……逃走么？……这是不容易的，我有一家五口。况且，我的财政困难。日本人约定每月给我一千四百元，但是他们并不履行约言。第一个月是付清了的，后来是二分之一、三分之一、十分之几，六个月以后就一个铜币都不给了。我一提到薪给的事，他们总是重复这一句话："等到事情一定我们就要按期发清。"但是事情永远不定，我也就永不再见他的钱的颜色了；现在他们还欠我五万二千元。

我早已不肯希望日本人会偿付给我一部分我应得的薪给。

"满洲国"的全体职员确是同处于这种情况之中的。谁也得不到薪金；连警察、军队也一无所得。宪兵军官和少数陆军军官发财是由于私贩、赌博、淫业和毒品，以至打劫绑票之类。

我努力挣扎到一九三六年三月尾，才得到法院批准，卖了我的一部分产业，代价是一万二千八百元。当我去收款的时候，法院要我再等一个月，而且必须发表公告，看看是否有人提起诉讼。

公告发表了，一个月过去了。法院要我交二千五百元的所得税，然而还是不能收款。又要发表一种公报，还要再等一个月，据说是恐怕哈尔滨以外的债权人没有看见第一次公告。

卖几千元钱的房产就有这么些阻滞留难，我不过是吃这种苦头的无数人中之一而已。

我屡次告诉那长官我必须有钱才能生活，倘若他们不给我，他们应该让我有从别方面得钱的机会，但是他总是说：

“给我们一点时间，等到事情更妥当些的时候，你就可以得到你应得的一切了。”

有一次，我向他力争，他说：

“当欧洲人统治东方的时候，他们给东方人多少钱，你知道吗？最大的薪水不过是从五十元到一百元而已。现在我们是统治者，为什么我们要给更多钱呢？”

日夜做着心中厌恶的事体还要依赖我自己的积蓄生活，一想起来我就恼怒得发狂。然而，我确有足以自慰的事的，虽然日本人把我捏在他们的掌中，虽然他们以我的家属为抵押品，虽然他们羞辱我和掠夺我，他们的“能干”的代价是很贵的。我用种种方法使他们偿付这代价。凡是经过我手的一切情报，我都秘密传送给中国义勇军，给日本的敌人。义勇军、游击队，常常预先得知日本人派去攻伐他们的军事列车的开行的时间；他们常常预先得知日本军向他们进攻的方向。

当日本人准备“搜查”或“逮捕”（其实是没收或

绑票）的时候，我就赶快使牺牲者有逃亡的机会。

无数的中国人，曾经做过中国官吏的，都像我一样，迫不得已继续工作，但是大多数都是中国的爱国的秘密社团的分子，这些社团的主要目的之一是杀戮日本文武官员和背叛祖国的汉奸。许多日本人是这样被戮的。许多汉奸也受到出卖人格的惩罚。傀儡溥仪受过三次死的威胁，他的宫庭曾经被他的侍卫之臣放火烧去一半；长春的日军飞机场被焚毁了；齐齐哈尔的飞机场被烧过两次；哈尔滨的被烧过一次；五站（绥芬河车站）的被烧过两次；军用列车颠覆过十几次。在这些奇袭之中日本的警务机关并不能发现那些下手人。

就在最能干最凶狠的日本的特务机关官员的眼前，就有着一个完备的间谍组织，日夜努力工作。其实日本人是些蠢才。在聪明人只要一睞眼一举手就可以明白的事，在日本人却要一小时的详细解说和画出图形才能明白。

在一九三六年八月初间，我又努力向法庭收取我的产业的卖价。我请了一个日本律师，预约给他一千元。那时我看见情势日益恶劣，分明觉得我是在危险之中。

我必须准备逃跑了。我的妻的康健已经被困苦动摇的生活所摧毁了。我们的医生签字证她必须迁地疗养，但是那长官不肯让她走。“哈尔滨的天气是很好的，”他固执地说，“你的妻不必到别处去疗养。”

八月十号，那长官叫我去见他，他问我在一九三四年中我是否认识一个叫做李善恒的中国人。我告诉他在日军未到沈阳以前我曾经认识他，那时他在沈阳军官学校里做历史教员，但是自从日军到了以后我就没有见过他的面。

那长官尽看着我，然后说道：

“你知道你在沈阳认识的李善恒，就是当宪兵在哈尔滨追捕他的时候，他闯入三原公司从五层楼上跳下的李善恒么？”

“我怎么会知道？因为在他自杀之前或之后我都没有见过这哈尔滨的李善恒。”我反驳。

那长官又尽看着我。然后他说道：“我要看看你怎样写你的中文名字……写给我吧。”

我把我的名字写成三个中国字给他。那长官看了那纸片上的字迹之后把它塞在他的衣袋里，并不批评。然后他问：

“在一九三四年中，你是不是和被迫降落在满洲境内的两个苏联飞机师说过话？”

“你是说那两个逃亡的飞机师么？”我问，“谁也不能和他们说话，那是绝对禁止的。”

“不要开玩笑！”那长官尖锐地警告我，“你很知道他们并不是逃亡者。我们要那样说是因为要侮辱那些苏联的狗。我听说在长春方面有些人说你和那两个飞行家谈了半点钟之久。”

“这是不确的，”我告诉他，“我从没有想到过和苏联航空员说话；不论是谁这样说的，他都是一个说谎者。我很知道我处于嫌疑之下……倘若你不相信我，你为什么要留我做事呢？我许久没有得到我的薪饷，所得到的不过是侮辱和毁谤……这一切都因为我不知什么时候得罪了中野和拉佐伊夫斯基，那两个没有一点好处的人。”

默默地听了这些毫无疑问的事实之后，他伸出手来要我握一握，说道：

“这就对了，并没有什么，范士白先生。我知道那两个人在设法反对你；但是倘若我听了别人的话，我也同样听你的话。”

几天之后，那长官和我讨论绑架两个犹太人的事，以及被宪兵绑票勒索三万元的十九岁青年阿伯里罕维奇的事，他问我那父亲有没有这么多的钱。

“我以为他没有，”我回答，“即使他有，他为什么交来呢？那孩子已经被宪兵特务员杀掉了。”

“有人这样说吗？”

“当然，人们都这样说的。”

“他们说些什么？”

“他们说所谓绑匪都是宪兵和日本的其他警务机关雇用的人，他们说赎金都是交给日本军事当局的，要阻止这些议论是不可能的……不能把他们全都抓起来……”

那一晚上我去访问那位日本律师，请他设法进行收取我的产业的卖价。他说有许多困难，最好是疏通办理这案件的日本法官，或许给他一点好处，我就能取得我的钱了。

没有办法，我又只好忍受这另一“竹杠”，因此那律师带我到炮队街的那法官的家里。当我被引到这位最傲慢的法官大人前面的时候，他把我从头到脚仔细看了一遍，好像我是什么珍奇的虫类似的。我们的谈话的结果是：我要收到我卖产业应得的款项，我必须先付给这位日本法官三千元。我勉强承认了这无耻的掠夺，我不能不签定三张一千元的期票交给山崎，那开着“我欠你”的独霸公司的著名骗子。于是那法官答应在一星期之内发给我的房价。当我和他讲价钱的时候，我的声音激昂了好几次，那苛索贿赂的日本法官就屡次提醒我，我是在和一位日本的代表法律的人谈话呀。这法律的化身就这样毫无羞耻地抢去了我的三千元！

将近八月尾的时候，那日本律师通知我可以到法院去收我的钱。法院给我一张单子，上开卖价一万二千八百元，扣除所得税二千五百元，法定手续费七百五十元，实应付给九千五百五十元。我把这单子交给法庭的会计，希望他给我一张支票。那日本会计告诉说这单子上有些不合的处所，要我等一等。我等呀……等呀……又等呀，终于是要我明天再来。

我在回家的路上觉得我要发狂了，脚好像几吨铅似的沉重。我的勇气没有了，我失掉了再和这些伪善的畜生斗争的一切力量。我的妻正在病中，我不敢和她谈论我的心事。我的十四岁的女儿锦尼维弗尽力安慰我："爸爸，高兴起来，你看这一切都会成为过去的，你必定会得胜的，我们将来必定能离开满洲，离开这些野猴子。眼前的失败，有什么要紧呢？你是刚强而且能干的，不久你就能够争得日本人使你所受的损失。"

当天夜晚山崎请我去谈话，说是有要紧事商量。在绝望的境况之中，我不能不克制我自己对于这人的自然厌恶之情。我去了。他接待我的是许多鞠躬和客套话，充分表现了以欺骗和伪善为生活基调的日本性格。郑重地讯问我的健康，献茶献烟之后，他通知我法院的日本会计可以通融我的那张单子上的"不合"的处所，倘若我愿意付五百元给他，他就给我一张支票。老实说，我倒是喜出望外了。我原来以为他也要敲我三千元的，这法院会计显然还不敢代表日本"法律"！他是颇为克己的。于是我承认从我身上再割一磅肉给他，签了一张五百元的期票给山崎。

第二天，当我会见那会计的时候，他微笑地迎接了我，说是那单子上的不合之处并不要紧，已经改正了，然后很客气地交给我一张支票。在法院的客厅里我遇见山崎，他正在那里等我，随带着另一日本人和他的保镖拉普削夫，一个彪形的俄国大汉。我们一同到银行去兑取我的支票。倘若那日本银行的会计又在那支票上发现什么“不合”之处，而且又要我给他一千元，我也毫不惊奇。谢谢上帝，这支票并无“不合”。我取了钱，付给山崎三千五百元，取还我签给法官和会计的期票。

当天下晚《我们的路》和《哈尔滨时报》派代表到我的家里，要我各捐五百元给他们。我告诉他们各自滚蛋。后来《我们的路》的一个职员打电话来警告我，限我三天之内交出所要的五百元来。倘若不交，他们就要在报上宣布我是第三国际的、国民党的侦探，而且和贼匪有关系。《哈尔滨时报》也同样警告了我。我回答他们爱怎样宣布就怎样宣布去吧。

我把这一切都告诉了那长官，但是他冷酷地说他并不关心那些闲话。

现在我知道戏剧快要达到顶点了。

我必须行动，而且迅速行动。按照以前的布置，我去见和 C 上校有联络的一个人，请他转交一封紧要的信给 C。

当夜孚托普洛通知我，中野要我给他一千元。我说我的钱已经都用完了。两天之后，他打电话来说中野很痛恨我拒绝他所要的一千元……太坏……现在他要二千五百元，否则他要显示给我我的生命不值一撮尘灰。

九月三号，在日军总司令部做事的一个朋友秘密告诉我：日本特务机关长、宪兵司令和我的长官今晚要讨论别人控告我的案件；并且约定把那结果从速通知我。

早晨七点钟的时候，我得到如下的报告：宪兵司令得到各种文件，以及俄籍特务员的报告，证明我和游击队有间接关系；孚托普洛曾经说过，他屡次看见我半夜里从极乐寺出来；特务机关长最疑心的是在李善恒的衣袋里所发现的札记簿上的我的中文名字。我的长官曾经竭力替我辩护，但是没有效果。他们最后决定在三天之后把我送到齐齐哈尔……就说是失踪……毫无痕迹。

“你必须毫不迟疑地立刻逃走。”我的朋友劝告我。

“我的家属呢？”

“你离开满洲活着比你死在满洲更有用。你不走对于你的家属并无益处；但是离开了日本人你就有营救的机会。走吧，我请求你，趁你还有军事护照的时候。现在还没有下令通缉你，就到飞机场去坐飞机走吧。”

这是明智的忠言，我决定遵从。我去访C上校，说明我的情形和决心。他很赞成，并且他担保设法明早使我的家属安全乘车到大连，中途不致发生问题。然后我去告别我的中国的老朋友，他的临别赠言是我一直珍重到现在的；然后我又回家告别。我不敢携带行李，但是我的妻要我的秘书陪我到飞机场去，使她能够得到我已安全离开的确息。

半点钟之后，我向长春和大连飞去了，在大连上船，第二天到了青岛。

一九三六年九月八号早晨，我去迎接刚到青岛的日本船青岛丸，我希望在甲板上看见我的家属。当船停泊的时候我到甲板上各处去寻找，但是看不见他们。疑虑着事情好像糟了，我走进头等舱里，看见一个房间的门敞开着，我的妻就坐在那里面的床上哭泣，我的女儿忧郁地低着头，我的儿子正在抚慰他的母亲。我忽然看见两个日本警察站在这舱房门口，我吃了一惊，知道事情已经糟了。我站在那里，装作没有事似的，但是决不定如何是好，同时我的儿子抬头看见了我。他立刻转而用意大利话对他的母亲说：“快快走开，我们全被捉住了，他们也要捉你。”在一分钟之内我就转回码头，即刻报告中国当局，请他们向日本领事交涉准许我的家属登岸。他们的努力终于无效。

我的妻儿被提到日本领事馆去审问之后又被送回船上，那船当晚就向上海开去，三天之后又开回来。青岛的中国当局再提抗议，仍然无效。我的妻和两个小孩被带回满洲去了。当晚日本领事馆的警察官和两个特务员来到我所住的旅馆里，说是来邀请我去和日本领事谈话，想要把我绑起走。我立刻通知中国警察当局，请求保护。中国警察局长摧毁了日本人的任何诡计，派了四个警察来归我指挥，一直到他们看着我坐上向上海飞去的中国飞机为止。

上海——不安宁的避难所

一九三六年九月十二号我到了上海，立刻就进行营救我的家属的工作。最初，我写了一封长信给我的长官，说明我出走的理由，使他相信我并无要做反宣传的意图，我的唯一愿望只是要和我的家属同在一起。然后我又写了一封大致相同的信给哈尔滨日本特务机关长安藤将军。我把这两封信抄好，送呈日本驻华大使。我没有接到任何回答。

十九号我接到从大连打来的一个电报："因孚托普洛事件家属被拘于大连警署。倘十日内君不来此投案，彼等将被押赴哈尔滨。即寄余五百元。妻甚窘。卢拉乞。"

卢拉乞先生是大连的一个意大利商人。

九月二十号同盟社发交上海各报一个大连电讯稿，说我的家属被拘是因为我拐款潜逃出哈尔滨，而那款是属于意大利人巴达维尼和狄尔米苏的，这两个人是我所开的一个电影院的股东。同日，同盟社发送给哈尔滨各报的新闻稿却说我的妻儿被拘是因为我拖欠希腊人孚托普洛二万五千元，分文未还就离开哈尔滨云。

几天之后，巴达维尼先生在回答我的上海律师普利美先生的信说："我并未控告范先生，理由是我绝无控告他的意思；至于另一位同事，狄尔米苏，并不能控告范先生，因为在五个月以前他就死了。”

九月二十八号，我又写信给哈尔滨的安藤将军，警告他说：倘若同盟社再造我的谣言，为自卫起见，我就要发表日本当局所不愿的声明。从此以后，虽然英文的和俄文的报纸上屡次抗议日本军事当局不应该扣留我的妻儿为质，同盟社也就一声不响了。

十月中旬，我的哈尔滨的朋友们通知，那著名的中村和曾经谋杀沙波维次基的两个俄国人已经秘密到上海来了。不错，几天之后，我就看见那两个俄国坏痞鬼鬼祟祟地梭巡于法租界莫利爱路的我的住宅附近。我的几个朋友喝住他们，告诉他们倘若再看见他们在这附近，他们就吃到他们曾给沙波维次基所吃的苦头。

中村住在黄浦路二十五号日本总领事馆里面。我已经得到他的踪迹，有一天我就骇他一下子，当他走出外滩日本银行的门的时候。

我站在他前面拦住他的去路，他的黄脸立刻变为土色了。他仓惶说道他来上海是因为别的事情，并无扰害我的企图。我也给了他我的朋友们所给予那两个俄国坏痞的警告。

两天之后，我接见一个日本人，他说他是奉了上司命令来和我谈判妥协办法的……他说只要我开出在“满洲国”内反日组织中的中国人和俄国人的名字，我的家属就可以得到释放。我告诉他这是不可能的，因为不但我并不知道这种人的名字，而且，以我的意见而论，这种组织不过是存在于日本当局的想象中而已。进一步，我警告他：倘若不赶快释放我的家属，我就要宣布我所知道的日本人在满洲的种种暴行。

“那一点也不妨碍我们，”他说，“我们要否认你所写的一切，而且也无人相信你的话。”我和他毫无结果而散。

十一月初间，有一位领事劝我写信给本野子爵，他是日本外务省情报部的第二课长。我听从了他的劝告。同时，我的律师普利美先生屡次访问日本驻沪总领事，但是并无成就；他们简直告诉他他们和满洲国没有关系。本野子爵回我一封很好的信，对于我的忧患表示深切同情，但是声明在东京毫无切实办法可想。

我随时都在惶恐地焦虑着我的妻的境遇。我知道她的康健必然严重地损害在她的拘捕者的手里了。现在，我营救她的一切和平的和合法的努力全都失败了，我决定采取别的手段。

我写信给哈尔滨的一个朋友，请他找一个可靠的人立刻到上海来。这可靠的使者于十一月十号到达上海，第二天就带着我给游击队司令的C上校的信回哈尔滨去。在那封信里我请求C设法营救我的家属，或者至少使我的妻离开监狱，否则她会死在那里面的。

这位使者一到哈尔滨就立刻找到C的密探，后者说C的地址是难于找到的。他要使者到穆棱去找和C的联络更为密切的另一密探。使者去了，寻找了几天之后，才找到了C上校，把我的信交给他。

两天之后，十一月廿三号，C上校率领一支精兵袭击海林——距穆棱六十公里的一个小城市，捉捕到三十一个日本人，其中有九个妇女。二十五号，他通知哈尔滨的日本军事当局，他扣留着三十一个日本人，只要许可范士白的家属安全离开满洲，他就释放他们。对于这通知，日本特务机关长的回答，是他须要请示东京。

十二月三号，C上校要求日本特务机关，在等待东京训令期间，先准许范士白夫人出来和她的母亲及孩子们同住，倘若这要求竟遭拒绝，那么他就要枪毙扣留着的人数的一半。

第二天，范士白夫人离开监狱，迁入西伯利亚饭店。

谈判迁延不决。日本人提出种种方案，但是不愿放我的家属走。他们愿意用他们所俘获的两个游击队员换回一个日本人。但是C上校不肯迁就，终于得到胜利。后来的困难问题是怎样释放那些日本人，和我的家属怎样离开满洲。日方主张先释放日本人，C上校却坚持相反的意见。后来双方同意：当我的家属到大连的时候释放一半日本人，当我的家属到上海的时候再释放另一半。

这种协定履行了，我的亲爱的人们，受了六个月的苦痛之后，终于一九三七年二月二十五号到了上海。

他们到了一个月之后，有一个叫做后藤的日本人来访问我，自称他是代表日本当局的。他们听说我要写作一本关于满洲的书，要求我不必如此，因为东京已经查明我的案件，觉得满洲国的日本当局对待我和我的家属很不公道，所以准备赔偿我的产业的损失，退还已经没收的我的财物，而且发给我积欠四年的薪金。现在就只等东京调查手续完毕了。

一九三七年六月初间，上海快讯社社长弗理特（Hayton Fleet）通知我说，有一位从满洲来的钦勒先生要见我。钦勒的父亲是丹麦种的美国人，而母亲是夏威夷人。他的妻是日本人，他现任南满铁路宣传部职员。

当他在上海的时候，他住在百老汇大厦，一个最大的旅馆。

在访问他之前，我知道许多日本官员和某些俄国人常去访问他。

在旅馆的接待室里我打电话给他。他要我上去；我要他下来。

当我和他坐在会客厅里的时候，他很殷勤地说了许多对于我所遭受的侮辱表示遗憾的话。……他通知我各个日本官员，其中有板濑和小新义，都已经受了严重处罚，因为虐待我的家属……日本当局已经进行调查，打算偿还我的损失。

然后他忽然说道：

"我听说你正在写一本书，叙述你在满洲和日本人相处的四年半以来的情形。我不能相信这种事；你是太聪明了，不会做这样蠢的事。虽然你已经入了中国籍，你究竟是生在意大利的，而意大利和日本是好朋友。倘若你作书反对日本，那就是作书反对意大利。”

“钦勒先生，”我回答，“日本人强迫我替他们做了四年半的工作，几乎是不名一钱。他们反没收了我的价值五万元的财产，把我的家属扣留了六个月，使我的妻坐了三个月的土牢。你曾经听见过赤心热血的任人劫掠、侮辱、摧残而毫无反应么？日本的约言从今以后不会有任何意义了；他们的恐吓丝毫不能影响我。我有我必须完成的事业和义务，没有什么东西能够改变我的计划。在日本的名义之下，在日本人的强迫之下，我已经分担了太多罪责，使我的良心不安。至少我要赎罪，虽然那是在那些上司压迫之下所犯的罪过，至少我能够替还在历史上最野蛮的压迫之下的人们说几句话，把真实情形告诉世界，这就是我的答复。”

我的妻讲她的故事

在我的丈夫坐飞机到大连去的几小时之内，我已经准备好第二天搭火车去追随他。我欣喜他已经脱出危险，对于我自己倒是无所忧惧的。在二十四小时之内他的出走是不会被发觉的。第二天早晨我和十四岁女儿锦尼维弗，八岁的儿子义大洛同乘火车到大连去。在大连焦急地等了一天，我们上了开到上海去的青岛丸。

午后两点钟的时候，一个日本人来到我们的舱房里，自称日本警察官，名叫小新义。他要看我们的护照，看了之后，就给我看一个从哈尔滨发来的电报。它是一道命令：逮捕我，解送回满洲国，拘押到我的丈夫回来为止。然后他检查我的行李，拿去了他认为有价值的各样东西：一千日元、六百六十五个旧俄金卢布、三百四十五个美元、两个钻石戒指、两只金手表和别的金饰。当我拒绝交给他我的结婚戒指的时候，他猛击了我的肩头两下，而且用俄语骂我母猪。

我的孩子们看见这野蛮光景，忍不住愤怒，哭嚷着和他撕闹。

他镇静地把他的赃物记录在他的手册上，走出舱房。

当他正在忙着搜查的时候，我的女儿利用他弯腰低头翻检我的皮箱的机会，把她所有的三百九十元藏在她的胸衣里面。不久，开船以后，我把这些钱交托给一位同船的上海律师巴良斯普朗先生，但是一个日本侦探看见了，小新义就从律师手里把钱夺去了。

当我们的船到青岛的时候，我的丈夫来到船上，但是在日本警察还没有注意到他之前，义大洛就机警地暗示给他我们全都被捕了，要他赶快走开。当天午前十点钟，我们被押送到青岛日本总领事馆里，一个日本大佐告诉我说，倘我的丈夫不回满洲，我们就要被递解回哈尔滨。

我抗议我的被扣，我说这是违法的，尤其因为青岛是中国地方。那大佐说："你并不是被捕，太太，你是我们的宾客。"然后我斥责小新义动手打我的横暴，大佐就转面对那警官说日本话（我的孩子们都懂得的）：

"你犯了严重错误。这妇人并不是俄国人，而且，据哈尔滨的来电说，她是一个有教养的女人，能够说好几种语言，而且是一家报馆的通信员。这就麻烦了，……你顶好向她道歉。"小新义就对我深深鞠躬，用英语说道："很对不起，我动手打了太太，我请你原谅，我以为你是俄国人咧。”

我们又被押回船上，放在三等舱里。当夜船向上海开去，我们的名字并不出现在旅客名单上。青岛丸停在上海的两天时间，我们都是被锁在舱里面的。船又回到青岛，中国当局派人到船上来看我们，但是日本警察不许见面。到了大连，我们被关在宪兵司令部里面，二十四小时之中没有一点食物。经过许多请求，我才打电话给一个意大利商人卢拉乞先生。他送给我们一些食物来，我请他打电报到青岛，告诉我的丈夫我们已经被扣，没有一文钱了。那时宪兵告诉卢拉乞先生，我的丈夫的罪案是拖欠孚托普洛巨款，逃匿无踪。

范士白先生在上海接到那电报，就汇四百元给卢拉乞先生转交我；日本人强迫他把钱交给他们，我始终没有取得一文。

我被押在牢里八天之后，政治警察局长板濑和特务员赛伐洛夫才从哈尔滨来把我们带回去，放在刑事科的一间肮脏的土牢里面。两天之后，锦尼维弗和义大洛被提出去交给我的母亲，同住在哈尔滨市内。

过了一个星期，板濑把我提去审问：

“你知道你的丈夫和中国国民党有关系么？……他是一个犹太人么？……他是共济会会员么？……他和贼匪有联络么？……关于加斯普案他告诉过你一些什么？……”

我回答道，我的丈夫从来不和我谈论职务上的事情；他也从来不把文件或书信带回家去。

又过了九天，我又被提到板濑的办公室里，除了板濑而外还有一个我忘记了他的姓名的少佐也在那里。少佐用流利的英语问我：

“你的丈夫为什么那样高兴看见绑架加斯普的人们被判处重刑呢？……谁主使他向那一方面尽力呢？……是那些犹太人吧？……或者是共济会呢？……我们得到报告，说你的丈夫在过去十八个月之中从一个外国银行收到二十万元，而且这些钱是付给贼匪炸毁日本列车的经费。你的丈夫夜间常去极乐寺里会晤的那些前任中国官员是谁和谁呢？……他常常假装妇人出去么？……我们知道他是属于英国共济会的……他曾经出席哈尔滨共济会么？”

我回答说这些事情我一点也不知道。

“你的丈夫现在上海作书反对我们日本和满洲国，”少佐继续说，“你写信告诉他，倘若他还想再看到他的家属，他必须不写他所知道的事。”

我说：“你们要他不写最好是放我到上海去。我不愿把你们的恐吓的话写去告诉他。”

“你是一个很固执的妇人，”板濑说，“我们日本人知道怎样使固执的人说话……”

几分钟之间，牵进来一个俄国女人……真可怕。她的头上没有一丝头发……她的指甲全被拔掉了。

“看，”板濑说，“她不肯说话，我们就拔掉她的头发……一撮一撮地……看她的指甲。”

这可怜的年轻妇人恐惧得发昏了。但是我竭力振作，答道：

“你也尽可以使我受苦刑，但是你知道我的丈夫是自由的……你说你知道他要干什么……那么留心你对待我的方法吧。”

我被带回那肮脏的土牢里。

在我被押在牢里的恐怖时日之中，我看见过许多中国人和俄国人，从牢里提出去的时候是完好的身体，带回来的时候就不成人形了。我没法和几个牺牲者谈话，而且还记得他们的名字。

一个叫做韩玉英的十六岁的中国女子已经被监禁了六个月了。她受过许多苦刑：她的脚被电熨斗烫过两次；她的眼睫被火柴烧光了。当我出狱的时候这孩子还关在里面。另一个中国女人，二十七岁，叫做曹玉梅，因为逼供被枪弹打穿脚板，她仍然不能说出他们要她说的，他们就用枪对准她的前额，打碎她的头颅。一个苏联妇人，克拉狄亚马科夫娜萨卡尔兼科，每天受各种苦刑至四十日之久：双手每个指头都被打烂了；头发全被连根拔掉；睫毛都被火柴烧尽；她曾经被倒吊几小时之后正吊几小时。结果，他们终于相信她完全无罪，才放她出去。她到一个苏联医院里疗治，据说她已经成了终身残废者了。

我屡次被酷刑所威胁，要我写信叫我的丈夫回到满洲。为什么他们到底不曾实施那威胁呢，我到现在还不明白那原因所在。

在我被监禁的第一月尾，因为饥饿和睡在潮湿地面上，并无被褥，我的体重失去了二十五磅，而且时常昏厥。监狱医官亚辛斯基先生警告那警察局长：倘若不改善待遇，我就会死在那里。因此他们才准许我接受我家里送来的几条毡子和一个枕头，而且每星期两次收受一点食物。

在我被监禁的第八十八天早晨，他们告诉我，可以出去和我的家属同住在西伯利亚饭店里，但是不能离开哈尔滨。

当我离开监狱的时候，板濑告诉我：

“你写信给你的丈夫，叫他不要在上海报纸上散播谣言。倘若他在满洲国的贼匪之中有朋友，我们在上海和他能去到的任何地方都有我们的特务员的。”

我在西伯利亚饭店住了三个月，板濑来看过我几次。他现在很客气而且异常关心我的健康，常常劝我写信给我的丈夫说我平安，日本人待我很好，叫他断不可写出什么反满抗日的东西。

一九三七年二月十八号，我被传到警察总监的办公室里。我衰弱到不能单独行动，所以由我的女儿锦尼维弗陪伴我去。据说总监名叫荒井，只能说日本话，所以牧野男爵的小姐来替我们翻译。请我坐下之后，那总监说：

“我乐意通知你，你和你的孩子随时可以离开满洲。你到上海的时候，告诉你的丈夫，他被迫替日本人做事，并不能解释他联络贼匪背叛我们。”

我要求赔还我日本警官在青岛丸上劫去的财物，但是他说他们在哈尔滨并不知道这回事。

二月二十一号，我们终于离开哈尔滨到大连去。我们的朋友们全都喜欢听见这消息，但是不敢到车站上送别我们，恐怕他们自己被牵累在麻烦里面。有些人把花束放在列车的我们的坐位上。日本宪兵军官知道送花的意思就把花都摔掉了；马狄尔饭店的一个年轻侍役还因此吃了两个耳光。

二月二十三号，我们从大连坐大连丸到上海。上船的时候，我又遇见六月以前打劫我的一位日本警官——小新义；我问他归还我的财物，但是他讥刺地微笑了，说道：

“你的丈夫干了那种事之后，你还能够活着离开满洲，你就应该谢谢上帝喽。不要忘记告诉他，不要以为我们把他无可奈何。日本总有方法捉住他的。”

收场语

“上帝保佑你。他要帮助你平安地回到中国。他不许灾难降临你的家属。”

这是我的一个最好的中国朋友对我说的话。他是一个旧派绅士，像橡树一样坚定，有着高尚的灵魂。

在一小时之前，我得到秘密通知，日本军事当局已经决定逮捕我，所以我来和这位老朋友告别。当我站在他面前的时候，他的双手抚着我的肩头，他的眼睛注视着我的眼睛，他说：

“我的朋友，现在我是一个老人。我不能再替我的国家和人民做什么事了。但是你是年富力强的，你要明白！在近五年来，你是唯一的白种人，亲眼看着日本人糟踏满洲中国人民的种种暴行。

“要叙说这种全副武装的野人对于和平勤劳的人民

所犯的凶残罪恶，没有比你更适当的了。倘若，事情果如我的心愿，你平安回到中国，你必须竭尽全力使世人知道满洲惨状的实情。不被各为其主的通讯社歪曲实情，不被日本人金钱支配的报纸混淆实情。

“赤裸裸的实情……你答应么？”

“我答应——全部真实。”

“记住呀！”这是他对我说的最后一句话。

……

一月一月地过去了……六个月以来，我专心致力于营救我的家属脱出日本军事当局的掌握。

我的哈尔滨的全部财产被没收了……日本当局的残酷的迫害，无所阻碍地使我的生活惨苦……甚至在上海也不免……在势力悬殊之下的这种争生存的苦斗，已经试验到最刚强的人的勇气的最大限度……一切阻止着我，使我不能履行我对我的中国的老朋友所答应过的庄严的约言。他的面容随时显现在我的心眼之前，我还能够觉得他的眼光正照射着我的，而且他的温和的声调还在我的耳朵里回响着：“记住呀！”

……

现在我已经完成了我的工作。这本书是为了履行我的约言而写的，要表明真实，要把该因[1]的标识烙印在日本军阀的前额上；要在全世界的良心之前暴露日本的贪残的军官；要指出这些穿制服的畜生的行径可能堕落到怎样无耻的莫测的深渊；而且以人道、文化和正义之名，要说出满洲人民在他们的压榨之下所遭受的劫难。

我在这书里所叙述的只不过是种种事实，我曾经亲眼看见的事实，我几乎常常不由自主地参加在这些事故之中。对于许多读者，我所记述的这些事实必定觉得好像是可怕的、不能相信的噩梦。对于日本人没有深切认识的人们，或许是如此的吧；但是对于被迫而和日本军阀主义有过密切接触的人们，这一切都是自然而然的。

世界对于日本的“知识”可以成为谎报的巨帙。这种成绩的大部分我们应该感谢英国。一九〇六年，当日俄缔结《朴次茅斯条约》前后，英国狮子，被恐慌所催促和被野心所鼓励，用劲拉开俄国熊的爪子而且打落它

[1] 亚当之长子，杀害其弟亚伯者。

的门牙，同时大声歌颂新兴的日本的矮人们的勇敢、勤苦和进步，使世界各国几乎被英帝国的宣传空气闹得发昏了。我们大多数人现在还辗转于三十年来使人聋哑的尘埃里面。英国的保守党帮忙着创造这种英雄的日本的神话；而在这神话后面已经长成了一个弗郎克斯亭[1]，正在威胁着创造它的人。

日本，和日本的一切东西一样，比起宣传家的描写来，好像一个蜃楼幻景。在骗人的光学作用之下设法造成的一个美丽的水泡，走近一看就证明不过是一种幻象，越走近就越觉得虚空无聊。

他们的磕头式的礼貌不过是一层微薄的脂粉；他们的谦恭不过是包里粗鄙的纸皮。日本武士道是只要能够达到眼前的目的就不择任何手段的。在他们看来，只要有钱有势，欺骗、胡说、造谣、阴谋、卖友、伪善，全是值得称赞的，装假正是他们的天性。以我遇见过的人而论，凡是和日本的文官武将一度接触过的人，事后没

[1] 雪莱（Shelley）夫人所著小说《弗郎克斯亭》（*Frankenstein*），叙述一生理学家曾手制一怪物而赋以生命，命名为弗郎克斯亭，此怪物终于以怨报德，加害于其创造者。

有一个不深嫌他们的粗鄙的。在这一点上日本人总算造成了一种世界声名了。

世界文明国家却使这种人能够应用近代武器!

“文化”这个词一和“日本军国主义”连在一处，就觉得是虚构造谣。他们所有的一切文明事物，艺术、伦理、宗教，全是借来的、抄袭的或模仿的，他们在工商业方面的成就也不过如此。在精神上、智能上和物质上，日本是由一班没良心的剽窃家领导着的。

日本文学是由中国移植来的产物。中国文学是哲学、道德和常识的无尽宝藏，而日本文学不过是一种歪诗谐文，根据帝室源出天神的鬼话所捏造的胡说八道。把千万个年轻女子出卖给人贩子去供应远东的大多数娼寮妓院，这种民族有什么道德可言呢?除了日本而外，还有哪一国把处女包给娼寮主三年五载又回来嫁人，好像没有那回事似的呢?

纵容这一群贪残的豺狼在世界上横行胡闹已经太久了。你看他们冒充绅士，戴着高帽，穿着礼服，出入于各大都市，他们每一个都是狼群的密使呀。

写到这里的时候，他们正有一百万兵和巨量军火在中国；数百万无辜的人民正在被屠杀，价值数十亿的财产正在被摧毁。但是中国人民的灾祸不过是刚刚开始而已。倘若日本人真的征服了中国，像他们征服了满洲一样，那么所谓“王道”——劫掠、烧杀、谋害、绑票、讹诈、强奸、胡闹、毒害，堕落的整个制度——就要加紧进行了，甚至比本书所叙述的、比那几年间我所亲见的，还要更恶劣凶狠。

在这时警告世界还不算太晚吧。

无情地尽量暴露日本的反常无道的真相是必要的。

我所叙述的人名全是真的。我所略去的名字是还在满洲和日本势力范围之内的人们的名字。

当我写这本书的时候，我只想着两件事：服役于人类文化，和依照我的中国老朋友的愿望尽忠于满洲人民。我的良心终于能得安宁了。再会吧，远东！我还能够怀抱展开在我眼前的新世界的希望生活下去咧。

三联经典文库第二辑简目

《游击战教程》 明凡 / 著

《游击战术纲要》 陶剑青 / 编著

《汪精卫卖国的理论与实践》 钱俊瑞 / 著

《抗战以来》 韬奋 / 著

《陕行纪实》 楚云 / 著

《随军散记》 沙汀 / 著

《被日寇囚系半载记》 王研石 / 著

《倭营历险记》 房沧浪 / 著

《活跃的新西北》 田影 / 编著

《保卫华北的游击战》 刘清扬 陈北鸥等 / 著

《徐州突围》 《徐州突围》编委会 / 编

《沦亡的平津》 长江 小方等 / 著

《淞沪火线上》 胡兰畦等 / 著

《瞻回东战场》 长江 罗平等 / 著

《东线的撤退》 胡兰畦等 / 著

《抗战中的西北》 徐盈 / 著

《鲁闽风云》 徐盈等 / 著

《西线生活》 西北战地服务团集体创作

《中国解放区见闻》　［美］福尔曼著 / 朱进译

《全面抗战论》　潘汉年 / 著

《日本的间谍》　范士白自述 / 尊闻译

《日本大陆政策的真面目》　国难资料编辑社 / 编

《民众动员论》　李公朴 / 著

《中国外交史》　钱亦石 / 编著

《太平洋军事地理》　蒋震华 / 著

《世界经济地理讲话》　思慕 / 著

《列强军力论》　［德］马克斯·威纳尔著 / 宾符　仲持　梅益等译

《近代国际关系史》　张铁生 / 著

《太平洋现势手册》　沈志远　石啸冲 / 编著

《近代世界政治史》　钱亦石 / 著

《从战争到和平——一九四五年的世界政治》　乔木 / 著

《战后日本问题》　思慕 / 著

《最近一年间的国际动态（1946.7–1947.6）》　《东北日报》社 / 编

《论政党》　翟放 / 著

《法与宪法》　韩幽桐 / 编著

《中华民国宪法刍议》　罗家衡 / 著

《民主·宪法·人权——作之民》　费孝通 / 著

《宪法论初步》　潘念之 / 著

《对反民主的抗争》　韬奋 / 著

《农村改进的理论与实际》　江恒源 / 著

《上海产业与上海职工》（上下）　朱邦兴　胡林阁　徐声／合编

《陶行知教育论文选辑》　陶行知著／方与严编

《中国通货膨胀论》　杨培新／著

《中国及其未完成的革命》　H·普拉特著／蒋天佐译

《中国的建设问题与人的训练》　卢作孚／著

《论中国特殊性及其他》　艾思奇／著

《中国经济问题讲话》　钱俊瑞　徐雪寒　王渔邨　姜君辰　骆耕漠／合著

《中国经济的道路》　许涤新／著

《中国财政之病态及其批判》　孙怀仁／著

《官僚资本论》　许涤新／著

《五四运动之史的评价》　陈端志／著

《中国通史简编》（上下）　中国历史研究会　范文澜／主编

《论文学的工农兵方向——读〈在延安文艺座谈会上的讲话〉》　雪苇／著

《中国近代史（上编　第一分册）》　武波／编著

《文学百题》　傅东华／编

《中国史学之进化》　周谷城／著

《论民族形式问题》　胡风／著

《论批评》　荃麟等／著

《中国史纲》（第一卷上下、第二卷上下）　翦伯赞／著

《近代中国思想学说史》（1–4）　侯外庐／著

《中国政治思想史》（上下）　吕振羽 / 著

《中国哲学史纲要》　向林冰 / 著

《中国政治史讲话》　钱亦石 / 著

《中国社会经济史纲》　王渔邨 / 著

《新财政学大纲》　千家驹 / 著

《太平天国革命运动论文集——金田起义百周年纪念》

华北大学历史研究室 / 编

《理性与自由——文化思想批评论文集》　胡绳 / 著

《战斗者的诗人》　黄药眠 / 著

《国语文法》　曹朴 / 著

《教育哲学》　张栗原 / 著

《妇女问题讲话》　杜君慧 / 著

《婚姻 · 子女 · 继承》　沙千里 / 著

《性教育新论》　布士克　雅各生合著 / 董秋斯译

《狱中杂感》　杜重远 / 著

《七人之狱》　沙千里 / 著

《爱迪生传》　伍况甫 / 译

《歌德自传》（上下）　歌德著 / 思慕译

《尼赫鲁自传》　[印度] 尼赫鲁著 / 毕来译

《列宁传》　[苏] 凯尔任采夫著 / 企程　朔望译

《罗斯福总统传》　C. Mackenzie 著 / 张尚之译

《托尔斯泰传》（1-3）　[英] 阿尔麦 · 莫德著 / 徐迟译

《革命文豪高尔基》　［美］亚历山大·康恩著 / 韬奋编译

《鲁迅纪念特辑》　新中国文艺社 / 编

《回忆鲁迅先生》　萧红 / 著

《人民文豪鲁迅》　平心 / 著

《亡友鲁迅印象记》　许寿裳 / 著

《鲁迅思想研究》　何干之 / 著

《鲁迅研究》　夏征农 / 编

《过来的时代：鲁迅论及其他》　雪峰 / 著

《电影戏剧表演术》　洪深 / 著

《日常心理漫谈》　［美］约瑟夫·查斯特罗著 / 曾宝施译

《心理常识漫话》　朱智贤　杨云美 / 著

《读书的方法与经验》　王任叔 / 著

《美国黑人生活纪实》　［美］加德维尔　斯坦倍克著 / 董秋斯译

《初访美国》　费孝通 / 著

《事业与成功》　［美］马尔腾著 / 汪原放译

《萍踪寄语（初集）》　韬奋 / 著

《一生的幸福前途——〈生活周刊〉信箱选集》　生活书店 / 编选

《深刻的印象》　生活周刊社 / 编

《海外的感受》　生活书店编译所 / 编